Les Robinsons b

Francis Jammes

Alpha Editions

This edition published in 2023

ISBN : 9789357951067

Design and Setting By
Alpha Editions
www.alphaedis.com
Email - info@alphaedis.com

Contents

INTRODUCTION

Il y a quelque trente ans vivait à Bayonne un de ces Juifs qui portent besicles de corne sur nez crochu ; dont le front et les joues ridés reproduisent assez exactement une page criblée de caractères talmudiques et dont les mains, semblables à des araignées, tantôt tissent la toile grise de leur barbe, tantôt arpentent l'oscillante balance du peseur d'or ou du joaillier.

Jacob Meyer était son nom.

Nous étions rejoints, lui et moi, par un goût commun de la pêche et de la poésie. Il arrivait qu'après avoir parlé littérature nous descendissions à l'Adour pour y tendre un filet. Nous nous fortifiions avec l'odeur du goudron et de la mer toute proche. Il ne recevait guère de visites que la mienne et de dames qui venaient lui régler les intérêts d'un emprunt ou l'acompte d'une émeraude.

Avant que de me révéler le début des Robinsons basques, *il me dit en tenir la version de sa famille, et que celle-ci, de père en fils, se l'était transmise.*

De cette famille, un membre, le premier sans doute qui donna lieu à la souche de Bayonne, repose dans le cimetière de La Bastide Clairence sous le prénom d'Abraham.

Ce qui a laissé entendre à quelques simples d'esprit que le père d'Isaac est enterré dans cette commune.

LES BASQUES ABORDENT EN TERRE VIERGE

La légende rapporte que, il y a vingt-cinq siècles, un navire dont la coque portait le nom d'*Eskualdunak* pénétra dans les eaux de l'Adour.

Ce navire était magnifique et témoignait que la contrée d'Asie d'où il arrivait connaissait la civilisation la plus raffinée, à l'époque où les habitants de l'Europe future se servaient de haches de pierre et de pieux durcis pour assommer ou percer les ours et sangliers qu'ils dévoraient crus.

Le capitaine de l'*Eskualdunak* s'appelait Ondicola. Un équipage l'accompagnait qui se ressentait davantage d'une vie passée dans le luxe et la volupté que guerrière ou simplement active. Il se composait de matelots, de leurs femmes et d'un groupe de jeunes gens et jeunes filles dont le moins âgé, Iguskia, avait seize ans, et la plus jeune, Ithargia, quinze.

Si, vivant alors, avec l'esprit d'à présent, nous eussions vu se promener sur la rive gasconne tant d'aimables Orientaux, ils nous auraient fait songer davantage à un débarquement à Cythère qu'à une descente dans les entrepôts de Bayonne.

La saison étant fort belle, Ondicola fit jeter l'ancre et dresser à quelque distance de la mer les tentes d'un campement. C'était dans sa manière de suivre son caprice, et si un nouveau pays lui agréait par son climat et ses aspects, il s'y installait avec sa tribu nomade jusqu'à ce que le froid ou la lassitude les en chassât.

Hommes et femmes déménagèrent le contenu du bateau sur l'arène. Des flancs de l'*Eskualdunak* jaillirent des merveilles : des hamacs qu'on eût dit tissés de rosée ; des robes d'un azur si transparent qu'on ne les soupçonnait que si les beaux corps s'y enfermaient ; des pierres uniques ; des ivoires sans défaut ; et, dans des cristaux de roche à facettes ingénieuses, des parfums empruntés aux jardins des *Mille et une Nuits.*

Les jeunes filles vivaient à part, les jeunes gens aussi de leur côté, car Ondicola ne souffrait point que rien altérât leur pureté jusqu'au jour de leurs noces. Non point qu'il eût aucune morale. Toute trace de religion avait disparu de ce peuple : Mais afin que la corolle s'épanouît dans toute sa grâce, tout, son éclat, tout son arome, Ondicola en faisait respecter la pré-floraison. Ainsi le produit serait superbe.

Cette loi mise à part, que tout naturaliste aurait pu édicter, on ne voyait pas régner beaucoup de vertus parmi les hôtes de l'*Eskualdunak*, ni à bord ni à terre.

Tant de siestes sous les arbres capiteux, de danses lascives, de fruits défendus, de complications du cœur mettaient à nu les nerfs de l'équipage ou le déprimaient.

Ondicola, bien qu'il se laissât aller à ses mœurs, en éprouvait souvent du dégoût. Si imposant que fût le port des femmes, si élancée la ligne des adolescentes, si nette la carrure des mâles : il y avait tout à craindre pour l'avenir. Une lourde inquiétude envahissait Ondicola touchant la descendance de ceux qu'il abritait dans son navire et qu'il avait choisis parmi les types les plus parfaits de sa patrie indienne.

Le seul culte de la beauté l'avait guidé lorsque, par exemple, il avait détaché Iguskia et Ithargia d'un plateau perdu de l'Himalaya où n'habitaient que de rares pasteurs. L'instinct puissant de conserver la race à laquelle il appartenait le dressait peu à peu contre les mœurs qu'il voyait affoler et anémier de plus en plus ceux de l'*Eskualdunak*.

Lorsque, la nuit, sur le rivage de cet Adour que fait se plisser une brise si pure, il flânait au sortir de quelque débauche, il lui arrivait de rejeter le suc épaissi du pavot qu'il s'apprêtait à fumer.

Alors, plus calme, il contemplait avec attendrissement, dans la diffusion de la lune, deux tentes isolées, en dehors du campement, qui se distinguaient entre toutes par leur blancheur particulière.

Dans l'une, dormait Iguskia, seul ; seule, dans l'autre, Ithargia.

Nul n'ignore, reprit à quelques jours de là Jacob Meyer, que les Asiatiques connurent la poudre avant l'ère chrétienne, aussi bien qu'ils avaient inventé la brouette et la boussole.

Je ne dis pas cela pour les Juifs (ajoutait-il), car ils n'ont pas voulu, encore qu'ils ne les ignorassent point, utiliser de telles découvertes : il nous suffit d'une mâchoire d'âne pour remporter la victoire ; du dos du même animal pour transporter notre butin ; de sa queue pour remorquer un captif ; et, quant à la boussole, je vous demande quelle orientation pourrait prendre une race toujours errante?

Donc, il y a deux mille cinq cents ans, Ondicola se servait de fusils de chasse dont l'amorce présentait une autre garantie que l'éclat de silex adapté à l'espingole de vos ancêtres. C'est ainsi qu'Ondicola et ses compagnons se procuraient du gibier, et d'autant plus aisément qu'il était alors peu farouche dans les contrées d'Europe qu'ils visitaient. Ondicola s'adonnait aussi à la pêche au lancer.

Mais, tout de même, cette existence de plein air ne le maintenait point dans cette forme cynégétique, privilège des chasseurs à qui suffisent un croûton de pain, une gousse d'ail, un verre de vin et une femme.

C'est pourquoi il résolut, pour retremper ses muscles, de s'en aller à la découverte, escorté de quatre bons tireurs et marcheurs, par ce pays qui leur était absolument étranger.

Et d'abord il pénétra, par les bords de la Nive, dans la région de l'actuel Cambo. A mesure qu'il portait plus avant ses pas, un curieux phénomène se confirmait : pas un seul habitant n'y apparaissait. Telle était cette absence de l'homme que les écureuils eux-mêmes se montraient familiers jusqu'à sauter sur les épaules d'Ondicola et de ses compagnons. On voyait de ces rongeurs descendre deux par deux vers la rivière, se tenant par les doigts comme de jolis petits ménages. Ils rafraîchissaient leurs pattes. Ondicola admirait leurs mœurs plus simples que celles de l'*Eskualdunak* où l'on usait, pour se baigner, de cuves d'or emplies d'eaux suaves.

Par une réaction naturelle, au souvenir écœurant de ces parfums, il se jeta dans la Nive à la nage. Et, quand il en ressortit, des gouttes qui n'avaient que l'odeur de l'air pur roulèrent à ses pieds dans l'herbe.

Cette course à travers des bois qui n'exhalaient point les essences de l'Asie, mais à peine une senteur d'averse sous l'orage, le remontait. Il défendit au cuisinier d'épicer davantage les mets, et il proscrivit les sauces. Mais, faisant creuser dans l'argile un four que l'on garnissait de galets demeurés longtemps sur la braise, il ordonnait qu'on y rôtît la chair des lapereaux et des perdrix. La confiserie dont il s'était fait suivre lui répugna bientôt tellement, qu'il la fit abandonner à un ours débonnaire. Mais celui-ci, l'ayant flairée, s'enfuit sur un chêne d'où découla un délicieux rayon de miel.

Un autre charme de cette vie errante était pour Ondicola d'échapper à la polygamie que pratiquaient, selon l'usage oriental, les gens de l'*Eskualdunak*. Mais que dis-je! Ce lui était un délice de se soustraire même à sa favorite qui, si belle qu'elle fût, et autant qu'elle dît l'adorer, et si fort qu'il crût l'aimer, l'excédait par les caresses qu'elle lui prodiguait, et aussi par sa jalousie. Les nuits étaient douces. On était en juillet. Il s'éveillait au chant des oiseaux et ne se sentait pas de joie, les yeux clos encore, de palper la mousse qu'aucune femme n'avait foulée.

Si la tradition est exacte, Ondicola et ses compagnons remontèrent l'affluent de l'Adour jusqu'à la place d'Itxassou.

Les forêts, quelque peu impénétrables, retardèrent leur marche, bien qu'ils continuassent de longer les rives. Si loin qu'ils aboutirent, ils ne rencontrèrent âme qui vive.

Le chef de l'*Eskualdunak* se faisait à cette existence élémentaire qui engendrait le calme du cœur, à ce silence que ne troublaient même plus les détonations des armes, puisque les bêtes les plus craintives se laissaient prendre à la main, les truites même.

Je doute, se disait Ondicola, que, placée de bonne heure dans une contrée aussi vierge, une famille humaine, même la nôtre, si encline à la débauche, se fût corrompue. O pays idéal! Terre qui attend son premier couple!

Plus de trente fois depuis leur départ le soleil s'était levé sur Ondicola et ses compagnons. Une tristesse infinie s'étendait sur le cœur du capitaine, cependant qu'il voyait venir le temps de rejoindre l'*Eskualdunak*.

Il ne le fit qu'à pas lents. Mais lorsque, au soixante-dixième jour, il arriva en vue du navire et du campement, l'acte formidable qu'il allait accomplir avait pris corps dans sa volonté.

L'*Eskualdunak* se balançait indolemment sur son ancre ; son équipage était en liesse.

Durant les deux mois qui venaient de s'écouler, la dépravation de ces gens demeurés sédentaires avait atteint son comble. Ondicola éprouva la sensation d'un homme qui, d'une cime vivifiée par l'air le plus pur, chuterait dans un cloaque.

Si dénué qu'il se montrât de toute morale, il imposait aux siens une sorte de crainte et d'ordre dans le désordre. On le savait désireux d'être obéi ; prompt à infliger une sanction et, plus d'une fois, il n'avait pas hésité à brûler la cervelle à des mutins.

Il constata que sa petite colonie avait tout à fait perdu l'équilibre. Les gynécées, mêlés entre eux, avaient changé de maîtres. Et bien que, craignant la mort, la favorite d'Ondicola s'employât à lui prouver qu'elle lui était demeurée fidèle, il s'aperçut bien vite qu'elle le trompait.

Le mal dont il souffrait se fit plus aigu sous sa tente, une nuit que, ne parvenant pas à prendre le sommeil, il entendait au loin le bruit des violons et des flûtes exaspérer jusqu'à la folie les sens de l'équipage.

L'illusion qu'il avait longtemps entretenue d'établir, dans la dissolution même, une sorte de règle, basée sur la notion du beau, se dissipait.

Trop de vices s'étaient insinués même parmi ces adolescents et adolescentes qu'il avait longtemps préservés.

Un contraste insultait à cette dépravation : ce vierge pays qu'il venait de parcourir, ses sommets fiers et doux qui font un second ciel à la vallée.

Il se souvint alors que, depuis son retour, il n'avait aperçu ni Iguskia ni Ithargia.

Sans doute eux aussi avaient-ils sombré dans cette décadence, s'étaient-ils cachés des yeux du maître que, du moins, ils respectaient encore.

Renonçant à dormir, il sortit. L'orgie avait fait silence. Tout semblait au repos. Il se garda bien de se rapprocher de son harem qui, là-bas, se profilait sous la lune. A quoi bon accroître son dégoût? Il savait bien qu'une visite à l'impromptu ne lui eût réservé que déboires. Que lui importait d'ailleurs le mensonge de ces femmes?

Il se trouva sur la grève déserte, à deux heures du matin, lorsque courent des frissons d'argent sur la mer qui n'a qu'un doux clapotement.

Au milieu d'un semis d'étoiles, Phébé était une perle incrustée dans la nacre du ciel. A quelque deux cents mètres se dressait la tente d'Iguskia et, plus loin, à une distance égale, celle d'Ithargia. De chacune sortit une ombre.

Le jeune homme et la jeune fille s'abordèrent à la limite du flot et se donnèrent la main. Ondicola, dissimulé par les rochers, les épiait curieusement.

Ils longeaient la rive, s'arrêtaient parfois, élevaient leurs charmants visages dans l'air vif et salé. Les lignes de leur corps, modestement vêtus, ne se déplaçaient que suivant une grâce calme, d'autant plus sûre d'elle-même qu'elle s'ignorait. Pas un mot, pas un soupir, pas un murmure ne montaient d'eux. Mais il semblait s'exhaler vers Dieu, de ces deux corolles vierges, un immortel parfum, l'essence même de ce que l'amour peut donner de plus pur en ce monde.

Ondicola retenait son souffle. Son cœur battait à peine, d'où s'envolait une prière confuse et muette vers ces bois récemment découverts où il avait vécu les plus belles heures de sa vie.

Il lui semblait qu'il n'eût eu qu'à se saisir de ces deux enfants de lumière, et à les déposer dans cette région bénie qu'il avait entrevue, pour que leur race s'y étendît à jamais comme les arceaux renaissants d'un verger aveuglant de fleurs.

La radieuse vision s'éteignit avec l'aurore ou, plutôt, sembla résorbée, quand Iguskia et Ithargia se séparèrent.

Ondicola les vit lentement remonter chacun à sa tente, sans qu'ils se fussent davantage parlé ou touché.

Il ne restait plus d'eux qu'un souvenir, de roses bues par l'azur, dans la phrase interminable et doucement heurtée de la mer.

Lorsque Ondicola retrouva sa couche, le soleil brillait. Il put prendre du repos jusqu'à midi sans être énervé par les échos de la saturnale qui avaient mis en fuite son sommeil. De tristes tableaux ne hantèrent plus son imagination.

Bien au contraire, ce fut la promenade étoilée d'Iguskia et d'Ithargia qui enchanta ses rêves.

Quand il s'éveilla, sa résolution, était prise.

Il manda des hérauts auxquels, avec un singulier accent d'autorité qu'il semblait avoir laissé faiblir depuis son retour, il ordonna d'annoncer à son de trompe que l'équipage eût à se grouper sur l'*Eskualdunak*. Il prescrivit en outre que les femmes et les hommes s'y rendissent dans leurs plus beaux atours ; que toutes les oriflammes fussent déployées aux cordages et aux mâts, que les musiciens fissent entendre, au moment qu'il en donnerait le signal, l'hymne le plus languide et le plus amoureux.

Personne ne manqua à l'appel. Tout le monde fut sur le pont, excepté Iguskia et Ithargia qu'Ondicola fit sagement s'asseoir en face du navire, assez loin sur la plage.

Il monta le dernier à bord.

Lorsque les femmes se furent épanouies de toute leur beauté sous leurs éventails d'autruche ; lorsque le dernier soupir de l'orchestre se fut tu dans la splendeur du soleil qui déclinait sur la mer :

— Orientaux, et vous, Orientales, leur dit-il, fils et filles de la Volupté! J'ai compris, après avoir exploré le pays d'alentour, ce qui vous en sépare. Il est temps de lever l'ancre. Mais en deux mois vous avez rendu la colonie si intéressante que je descends à fond de cale pour y chercher l'ordre du jour dont vous êtes dignes. Je vais vous le dire. Attendez-moi.

Ondicola disparut. Il entra dans la soute et mit le feu aux poudres.

FONDATION DU PREMIER FOYER

Iguskia et Ithargia n'éprouvèrent pas la moindre émotion en voyant tout à coup s'abîmer dans les flots la galante galère. Mais ils rirent, car leurs cœurs étaient neufs.

Cet embrasement sonore, qui précéda le plongeon de l'*Eskualdunak*, les amusa comme d'un feu d'artifice. La mer immense s'était refermée sur les victimes.

Depuis trois ans qu'Ondicola les avait enlevés à leur plateau pastoral et mêlés à son équipage, il leur était apparu tel qu'un maître assez sévère, mais bon. Jamais ils n'avaient eu de peine à le comprendre, car sa langue était la leur, cette mystérieuse langue basque.

La plupart des souvenirs qu'Iguskia et Ithargia eussent pu conserver touchant la religion de leurs familles, amies l'une de l'autre, s'étaient effacés. Mais ils possédaient une vertu naturelle qu'Ondicola s'était plu à respecter et à cultiver jusqu'à prendre la tragique détermination dont il fut la première et volontaire victime. Il avait craint que, plus tard, ces enfants ne fussent gagnés par l'abomination de ceux qu'ils eussent fréquentés davantage.

Cette perspective lui était devenue d'autant plus insupportable, dès là qu'il avait saisi l'harmonie qui coexistait entre les vertus d'une contrée vierge, inhabitée, et celles qui étaient innées à Iguskia et à Ithargia.

Ceux-ci, tournant le dos à l'océan où venait de sombrer l'*Eskualdunak*, s'en allèrent prendre ou vêtir, chacun dans sa tente, quelques manteaux de laine qui les préservassent d'une fraîche brise soufflant du golfe.

Ils se réunirent ensuite pour leur repas du soir. Sous les abris nombreux des courtisanes qui maintenant reposaient au sein des flots, des aliments singuliers traînaient parmi les bijoux et les toilettes. De ces toilettes et de ces bijoux, qu'eussent fait ces deux antiques Robinsons? N'ayant point trouvé là ces nourritures simples qu'ils aimaient, ils les allèrent prendre dans la tente d'Ondicola.

Après dîner, Iguskia et Ithargia se séparèrent ; chacun regagna sa tente ayant pris rendez-vous pour le lendemain.

Ils furent debout dès l'aube et gagnèrent le sommet des dunes, couverts des mêmes tuniques de laine qu'ils portaient la veille. Mais Iguskia avait jeté sur l'épaule, en prévision des nuits qu'ils auraient à passer en plein air, deux sacs d'une souple fourrure, empruntée sans doute aux chèvres de la Mongolie. Il emportait aussi son coutelas, et, dans un sac de cuir, des champignons desséchés et le silex avec quoi on les allume.

Ils remontèrent vers le sud-est, choisissant cette même voie tracée par la Nive dans laquelle s'étaient engagés naguère Ondicola et ses quatre compagnons.

Le passage de ceux-ci était encore marqué çà et là par des coupes de fougères et de branches.

En moins de deux mois Iguskia et Ithargia parvinrent, sans grand effort, au gré d'une flânerie charmante, sur les lieux où s'élève aujourd'hui l'ombreux et lumineux village d'Itxassou. Là, ils cessèrent de remonter l'affluent de l'Adour, poursuivirent au nord-est vers Macaye et Mendionde, sans y être autrement poussés que par l'attrait de ces vallées heureuses que protègent de leurs remparts l'Ursuya et le Baygura.

Comme Ondicola et ses compagnons, ils se nourrissaient de truites qui abondaient dans les moindres ruisseaux, et de gibier facile à prendre à la main. Une racine, celle de l'asphodèle, dont Pline nous apprend que, cuite sous la cendre, elle donne un excellent pain, leur fut une ressource. Ils avaient connu, dans leur pays natal, l'utilité de cette même plante qui croît en abondance dans les landes du pays basque. On voit, au printemps, ses quenouilles jaspées filer l'air bleu qui les charge. Des mûres et, plus tard, les fruits du néflier dont la branche flexible et dure fournit à Iguskia le premier makhila, leur furent un dessert agréable.

— Si, observait Jacob Meyer, le calcul est juste de ceux qui, parmi les miens, ont scruté avec le plus de soin les archives de cette histoire, Iguskia et Ithargia se seraient trouvés aux grottes d'Isturitz vers l'été de la Saint-Martin de la même année. Ces grottes, vous m'avez dit les connaître, mon cher poète, et vous avez bien de la chance, car on les dit extrêmement riches en ossements, sculptures et armes préhistoriques. Les propriétaires sont intraitables sur le point de les laisser visiter, et ils ont préposé, à l'entrée, un cerbère vraiment infernal qui ne le cède en rien à ses ancêtres de l'âge de pierre. J'ai causé avec lui, et il paraît tout disposé à assommer quiconque oserait s'aventurer dans cette caverne, sans l'autorisation la plus formelle.

... Et vous seul, m'a-t-on rapporté, l'auriez obtenue?

— C'est-à-dire, répondis-je, qu'une très vieille amitié lie ma famille à celle de M. Passerose, qui est en possession de ce très curieux document d'histoire humaine et de géologie. Il est vrai que, à part moi, je ne sache personne, sinon Pierre Loti, qui a fort bien décrit Isturitz, en faveur de qui l'on ait fait exception. Je suis le conservateur d'une des clefs de la solide grille d'entrée. M. Passerose me la confia, voici deux ans, avant son départ pour l'Abyssinie dont il ne reviendra pas de sitôt. J'ai vu là, de sa part, à mon endroit, une grande marque de confiance. Mais je n'ai guère profité de la permission que me confère la garde de cette clef dont le cerbère, que vous avez l'air de connaître, possède le double.

— Alors… même en vous suppliant?

— J'ai compris, insistai-je, que M. Passerose ne m'a choisi, entre ses plus intimes, que parce qu'il compte bien que j'observerai son inflexible consigne.

— Orphée, conclut en souriant le vieux Juif, sans que je comprisse très bien alors son allusion, avait ému les rochers mêmes de l'Enfer…

Iguskia captura à Isturitz beaucoup de palombes. Celles-ci, venant de loin, étaient farouches et filaient haut. Mais, dissimulé dans un chêne, il réussissait à les faire descendre en leur lançant des bâtons qui imitaient le vol du milan. Les Basques les prennent encore ainsi.

Lui et Ithargia passèrent l'hiver à l'entrée de ces cavernes, sans se douter que les chasseurs de l'âge de pierre les avaient habitées. Nul vestige humain autour d'eux, sinon, à quoi ils ne prêtaient nulle attention, des haches et des flèches qui témoignaient d'une barbarie de chasseurs qui s'étaient tenus sur la défensive. Mais ceux-ci avaient si bien disparu depuis si longtemps, qu'à part les oiseaux de passage toute la faune était redevenue familière comme aux jours premiers de la création.

Jusqu'au printemps de l'année qui suivit, Iguskia et Ithargia restèrent dans ces parages.

Quand reparut le mois de mai, leurs cœurs s'emplirent d'amour à tel point qu'il semblait à l'un que les battements du sien eussent lieu dans celui de l'autre. Mais cette ivresse ne troubla point encore leurs corps dissimulés sous les blanches toisons, comme des sources sous la neige.

Ils assistaient à la fête nuptiale que le renouveau fait plus gracieuse et plus grandiose. Tantôt ils voyaient deux fauvettes se fuir en se rapprochant sur une branche trop flexible, tantôt ils regardaient s'allonger l'un vers l'autre, et se rejoindre dans une combe, deux fleuves de brume d'où émergeait la cime découpée des bois.

Quand les fortes chaleurs sévirent, ils se baignaient sous les feuillages de la rivière qui, de nos jours, porte le nom de Joyeuse. Et c'est ainsi que, de branche en branche, ils atteignirent le coteau d'Ayherre, non loin du futur Hasparren. La clémence des nuits leur permettait maintenant de dormir en plein air dans leurs fourrures. Ce fut par un torride jour d'or que la Providence décréta que la race bienheureuse, la race basque, naîtrait de ces deux Robinsons, prendrait racine en eux comme une vigne au flanc d'une belle colline.

Une ruine surplombe aujourd'hui le bourg d'Ayherre et toute la contrée environnante, restes d'un château dont Albert Dürer se fût inspiré, car ils se confondent avec la lèpre même du lierre qu'ils opposent au soleil.

Cette redoute seigneuriale, fréquentée des oiseaux de proie, porte le nom de Belzuncia. C'est sur l'aire de Belzuncia, qui ne devait être édifié que bien des siècles après, qu'Iguskia et Ithargia, au mois de juillet, se trouvèrent en présence d'un tapis dont les plus radieuses soieries qu'ils avaient vues sur l'*Eskualdunak* n'approchaient point.

Ce tapis vivait, car c'était un champ de froment. Ensemencé par qui? Nul ne l'a jamais su. Mais il suffit d'un coup de foudre sur une terre intègre, et d'une graine apportée par le vent, pour que, d'année en année, se multiplie la moisson comme sur l'échiquier du conte arabe.

Iguskia et Ithargia en furent si éblouis qu'ils s'assirent pour contempler plus à l'aise la merveille. Chaque épi barbelé amenuisait la lumière bleue où criaient les cigales. Iguskia et Ithargia ressentirent que dans la béante profondeur il y avait Quelqu'un. Leur amour éclatait dans un plus grand Amour. Ils comprirent que dans cette splendeur visible, et au delà, Dieu est.

En face de cette Présence qui les illuminait comme le soleil les coquelicots à la lisière du champ tout allumé de cerises sauvages, ils prirent le ciel à témoin de leur union.

LA GÉNÉALOGIE

Ithargia donna un fils à Iguskia. Le second des enfants fut une fille qui mourut à deux ans, et c'est ainsi qu'ils connurent la douleur.

Cette petite étant tombée malade, sa mère pensa la relever de son abattement, ainsi qu'elle faisait à l'ordinaire, en lui présentant quelque fleur. Celle-ci était bien du pays basque. Qu'elle ressemblait peu aux corolles de l'Asie, somptueuses sans doute, mais dont les couleurs et les nectars trop violents fatiguent! Ce fut une digitale pourprée, dont les cloches, à l'intérieur ponctuées comme des pulpes d'abricot, tamisent une lumière d'aube.

Dans la cabane qu'Iguskia avait construite avec des branches, des pierres et de l'argile, l'enfant, étendue sur une peau d'agneau, agonisa doucement. Bientôt elle n'eut plus la force de tenir ni même de regarder la plante que sa mère lui avait donnée.

Elle mourut, bercée par le bourdonnement des abeilles qui s'échappaient du toit comme les braises d'un incendie. Quand elle fut muette, immobile et refroidie, Iguskia et Ithargia se mirent à genoux devant sa couche. Et leur prière, faite de sanglots, monta vers Celui qu'ils avaient pressenti dans la lumière de bluet de leurs fiançailles.

Iguskia ensevelit au pied d'un cerisier sauvage son enfant dont l'âme, aux jours en feu, semblait crier par les voix des cigales.

C'est ainsi que les Robinsons basques surent ce qu'était la mort qu'ils n'avaient jusque-là connue que chez les animaux et les arbres, la mer leur ayant caché les cadavres d'Ondicola et de ses compagnons.

Ithargia souhaitait de ravoir une autre petite fille, mais Dieu ne lui envoya plus que des garçons qui naquirent à peu d'intervalle les uns des autres.

Ils étaient au nombre de six quand leur mère, à peine plus jeune que le père, entra dans sa vingt-cinquième année. Sans l'ombre légère qui s'étendait sous le cerisier, le foyer n'eût été que joie.

La culture était facile autour de la fruste habitation, le blé repoussait de lui-même, comme encore au bord du Nil. Iguskia l'égrenait, le lavait, le broyait, et Ithargia le pétrissait et le cuisait.

Leur basse-cour s'était formée toute seule d'oiseaux, comme de coqs de bruyère et de tourterelles, qui venaient y picorer, et de biches gracieuses et de faons et de lapins et de lièvres.

Jamais ils ne songèrent à quitter cet éden, car, à mesure que grandissaient les six garçons, à qui ils enseignaient la primitive langue basque et les travaux familiers, ils s'attachaient davantage au sol qu'ils avaient consacré avec la mort.

Les trois aînés accusaient un goût plus particulier pour la pêche et la capture des palombes. Il leur arrivait de ne rentrer au foyer qu'après des excursions de plusieurs jours à travers bois. C'est ainsi qu'en suivant la Nive et l'Adour, refaisant en sens inverse le chemin autrefois parcouru par Iguskia et Ithargia, ils atteignirent la plage même devant laquelle, vingt ans plus tôt, avait sombré l'*Eskualdunak*.

C'est là qu'ils s'endormirent un soir, lassés de leur longue marche, et par une nuit aussi sereine que celle durant laquelle leurs père et mère, adolescents, avaient laissé leur pur amour paraître aux yeux d'Ondicola ravi.

Ces trois frères étaient d'une grande beauté : le plus âgé comptait vingt ans alors, à peine un peu moins les deux autres. Ils se nommaient Zoardia, Aritza et Sua.

Zoardia et Aritza étaient à peu près du même type, souple et brun, aux cheveux un peu crépus et durs, aux yeux bridés et placés presque sur les tempes, l'allure si leste qu'on les eût dits toujours prêts à bondir. Sua était un peu gros et blond, avec d'étranges yeux glauques très obliques et perçants ; d'une taille aussi élevée que ses frères, mais qui paraissait moindre, à cause du développement du torse ; ses épaules étaient étroites. Il ne le cédait en rien aux deux autres pour l'agilité, soit qu'ils exécutassent des danses que leurs parents leur avaient apprises de l'Asie, et pour lesquelles ils se paraient de plumes, de minéraux brillants et de fleurs, et qu'ils accompagnaient d'un fifre de roseau ; soit qu'à de longues distances ils se lançassent et se renvoyassent des projectiles ronds, faits de lames de cuir avec un noyau de silex.

Donc Zoardia, Aritza et Sua s'étaient endormis sur la plage.

— Ici, observa le narrateur Jacob Meyer, qui n'hésitait jamais, paraissait connaître par cœur la légende basque, et ne faisait appel qu'à de rares notes, je me trouve fort embarrassé. Il me faudrait vous soumettre le manuscrit qui est à Aix, chez un mien neveu, qui en est fort avare. En effet, tout le passage suivant est écrit dans la même langue, mais en vers heptamètres, et constitue une sorte de nocturne.

Ce chant commence après que Zoardia, Aritza et Sua viennent de s'assoupir sur cette arène d'où leurs parents partirent pour gagner les vallées de la Nive et de la Joyeuse. Ma mémoire n'est pas telle que j'en aie pu conserver les nuances, n'ayant point ce don qui est vôtre. Vous n'aurez donc qu'un faible écho du génie d'un koblari[1] lointain qui mêla sans doute sa propre inspiration aux documents laissés dans un rocher par Ondicola, et à ceux que nous ont transmis les premiers foyers qui s'allumèrent aux flammes de l'*Eskualdunak*.

[1] Improvisateur basque.

Voici le récit de ce barde et comme il s'enchaîne à ce qui précède.

FORMATION DES PRINCIPAUX COUPLES

Il y avait six jeunes filles dans une contrée d'Asie, plus belles les unes que les autres, longues et gracieuses comme les feuilles de l'iris.

Et lorsqu'elles riaient, on eût dit d'une averse de grêlons dans des roses vermeilles.

Toutes étaient brunes, toutes avaient les bras en arc, et leurs longues jambes rivalisaient de vitesse à la poursuite des chèvres égarées, car elles appartenaient au peuple pastoral.

L'une avait vingt ans et les autres dix-neuf, dix-huit, seize, quatorze et quinze.

Un prince, frère d'Ondicola, les avait aperçues en chassant, et il s'en était épris tellement qu'il avait demandé de les mettre dans les jardins de son palais à leurs parents qui avaient consenti.

Il espérait bien d'en faire ses femmes. Mais elles étaient si belles, quand elles se penchaient hors de leurs pavillons de roses, qu'il n'osa les approcher.

Et il tomba malade, comprenant qu'il est vain de poursuivre un amour dont on ne se sent pas digne.

Lorsqu'il les considérait, il était comme un homme qui n'ose porter à ses lèvres la coupe, tant elle exhale un parfum enivrant.

Durant six mois qu'aux portes de son harem elles furent ses prisonnières, il les fit combler de faveurs et de soins. Et le respect qu'il témoignait à leurs grâces était tel que, de la partie du bosquet où elles se baignaient, il était défendu de s'approcher sous peine de mort. Et lui, tout le premier, observait sa consigne.

Mais il continuait de dépérir. Il consulta les sages qui guérissent avec des simples, mais ils lui déclarèrent qu'il n'était nul philtre qui pût venir à bout de son mal, et que le seul remède était, ou bien de s'exiler soi-même, ou de renvoyer ces beautés.

Il opta pour ce dernier moyen, et les six jeunes filles retournèrent à leur plateau natal, le même où Iguskia et Ithargia avaient vu le jour.

Mais son agonie continua, parce que, la nuit, le parfum des fleurs lui semblait être celui des bien-aimées, apporté par la brise. Il songea à s'expatrier, mais la dynastie des Ondicola le supplia de n'en rien faire, lui représentant que son frère avait mystérieusement disparu, il y avait un quart de siècle, avec l'*Eskualdunak*.

Il resta, mais il résolut de donner la mort à celles qui l'empêchaient de vivre, et dont il n'aurait pu supporter qu'elles appartinssent à quiconque.

Sur son ordre une galère appareilla — ainsi en avait décidé son frère jadis de l'*Eskualdunak*. Mais le luxueux équipage n'était, ici, que des six vierges.

Néanmoins il para le navire de roses. Il en fit un jardin suspendu sur la mer. Il l'emplit d'autant de merveilles qu'en avait connu le vaisseau de son frère, et il fit peindre sur la coque ce mot : *Amodioa*.

Puis, ayant fait s'embarquer les jeunes filles, il les abandonna seules, sans pilote, au gré des vents.

Mais de ceux-ci, le plus doux, le Zéphire, s'étant épris de la plus jeune, ne cessa de souffler avec douceur dans la voilure, si bien que la navigation ne fut pas le moins du monde mouvementée ; que les passagères purent descendre sans peine sur diverses plages, s'y approvisionner, et continuer leur voyage aussi facilement que si elles avaient eu, pour les conduire, le patron des nautoniers.

Ainsi, et plus d'un an, elles naviguèrent sans que les récifs entamassent les flancs de l'*Amodioa*. Elles étaient plus gracieuses que jamais, tannées par l'embrun, dorées par les soleils, quand elles ressentirent les traits du dieu qui ne pardonne pas. Il souleva leurs seins comme des voiles, et, maintenant, elles tendaient leurs mains vers l'inconnu.

Par une calme nuit l'*Amodioa* entra dans la baie de Biscaye, toujours poussé par le vent qui ne cessait de caresser les cheveux de la cadette.

Mais les mortelles aux Immortels préfèrent les mortels.

Et c'est en vain que Zéphire étendit l'éventail de ses pennes au-dessus de celle qu'il chérissait. Lorsqu'elle fut descendue à terre avec ses sœurs, il comprit qu'elle était désormais perdue pour lui. Et, jaloux, il fit appel à Borée qui coula le navire aussitôt.

Ainsi, l'un avec son équipage dont Iguskia et Ithargia avaient été réservés — l'autre sans ses passagères, — à plusieurs années de distance, l'*Eskualdunak* et l'*Amodioa* subirent, par des moyens différents, le même sort.

Le Destin suivait son plan.

L'embellie revint après cette tempête qui n'avait point altéré le visage des jeunes filles qui s'étaient endormies.

La première, qui s'éveilla en bâillant et en étirant ses bras ronds, ne s'émut pas davantage de ne plus apercevoir le bateau qui les avait longuement promenées, puis déposées enfin sur cette nouvelle plage. Elles étaient, toutes les six, des païennes pour qui le passé compte à peine, l'avenir pas du tout, le présent seul. Maintenant, debout et radieuses, hors de leurs légères couches improvisées, elles écoutaient les chansons du golfe et leurs bouches et leurs cœurs avaient faim.

A travers l'ombre épaisse de leurs cils, leurs regards glissèrent vers les trois jeunes hommes qui les aperçurent et vinrent vers elles avec des fraises, des cerises, du fromage de biche et du pain. Elles mangèrent en riant, et, dans la joie et l'espoir de l'amour, elles les suivirent quand ils s'en retournèrent chez eux.

Ici, me fit observer Jacob Meyer, en compulsant un cahier, la prosodie s'interrompt, et le récit reprend son cours naturel en langue vulgaire jusqu'au deuxième chapitre.

Ces belles créatures s'unirent aux six frères dont le plus jeune comptait environ dix-huit ans.

Iguskia et Ithargia moururent nonagénaires, laissant une postérité si nombreuse que déjà elle formait la colonie de Hasparren.

C'est ainsi que, soustraite à la civilisation corrompue de l'Orient, rattachée à une sorte de morale naturelle que fortifia la saine et pure solitude d'un pays en équilibre, la race basque fut fondée.

Sans effort, comme Iguskia et Ithargia, les merveilleuses jeunes femmes s'adaptèrent à cette simple vie, toute faite de tâches faciles, et d'un amour sans mélange qui de lui-même proscrivait la polygamie. Aux nectars lydiens, tout de suite elles préférèrent l'eau qui stille des rochers d'Ursuya.

Les deux ancêtres furent ensevelis à Ayherre, non loin du lieu où reposaient leur unique petite fille et tous ceux qui, dans la suite, trépassèrent avant eux.

Ils transmirent à leur lignée une sorte de culte des cieux, mi-spirituel, mi-matériel, dont on retrouve la trace encore dans les signes des pierres tombales actuelles.

Bien avant la conquête romaine, des groupes familiaux, dérivant de cette souche primordiale, se formèrent çà et là. Les trois fils aînés, Zoardia, Aritza et Sua, occupèrent le premier le Labourd, le second ce qui devait être la Basse-Navarre et le troisième la Soule. D'autres, parmi les cadets, se fixèrent en Espagne, dans l'actuel Guipuzcoa, où ils trouvèrent un peuple mauresque habile à corroyer, auquel ils ne s'unirent jamais, qu'ils méprisèrent, mais dont les instruments et méthodes les initièrent à une industrie qui se continue, et qui leur permit encore de se perfectionner dans l'agriculture et l'élevage. Ils en instruisirent ceux de leurs parents qui n'avaient point quitté la terre natale, quand ils les y allaient voir, et c'est ainsi que se développa rapidement, chez les uns et chez les autres, le génie commercial qui appartient au pays basque.

LE JOUR ET LA NUIT A ASCAIN

J'ai une excellente nouvelle à vous annoncer, me dit Jacob Meyer peu de jours après qu'il eut fini de me narrer, en s'aidant du peu de notes que l'on sait, la première partie de la légende basque. Le légataire de notre manuscrit familial, ce neveu dont je vous ai parlé, qui habite Aix, va descendre sous peu chez moi. Il doit examiner, à Biarritz, le projet d'adduction d'eaux salées que l'on a découvertes à Briscous, et dont il voudrait se rendre concessionnaire. Mais n'allez pas croire que ce fils de mon frère aîné, encore qu'il soit sorti le premier de l'Ecole Centrale, dédaigne la poésie. Il est parfaitement digne d'être le gardien de notre trésor, bien que je vous aie déclaré qu'il ne tient pas à le communiquer. Je lui ai écrit de vous ; il apprécie, autant que je les prise, vos œuvres, et, sachant que vous vous êtes intéressé à la légende basque, il consent à nous en apporter le texte tout entier. Que ce second chapitre, où nous en sommes, soit ou non une interpolation, il est souvent conçu dans cette forme lyrique dont nous fournit un exemple le passage qui a trait à l'histoire des six jeunes filles, dont chacune épouse l'un des fils d'Iguskia et d'Ithargia. Vous vous souvenez qu'à ce moment j'étais navré de n'avoir pas le manuscrit original, et de ternir les nuances de cet épisode, déjà affaiblies par la traduction du basque au français. Il ne faut plus qu'il en soit de même. Je parle d'interpolation : il est certain que brusque est le saut qui, du foyer primitif, nous introduit dans une Eskuarie christianisée, encore que je ne doute point que votre religion n'ait pénétré dans cette partie de la Gaule dès le voyage de saint Saturnin. Une poétique fontaine, située sur le bord de l'antique route qui joignait Hasparren à Alphat-Hôpital, porte le nom de cet apôtre envoyé par saint Pierre. Mais cela ne veut pas absolument dire que l'œuvre ne soit pas d'un seul poète, qui a pu l'écrire à l'aide de très antiques documents attribués au premier Ondicola et de récits recueillis çà et là chez les koblaris. Que des professionnels débrouillent l'écheveau de la vérité! Quant à nous, il ne nous importe que de le tenir bien en main en admirant ses variations infinies. Peu nous chaut que, dans une chevelure toute ruisselante d'or, quelques cheveux aient été emmêlés par une folle brise.

Je marquai toute ma reconnaissance à Jacob Meyer de ce qu'il m'avait admis à la confidence de cette sorte de romancero dont je consignais par écrit le moindre fragment dès que je me retrouvais seul avec moi-même, et le félicitai de l'élégance de sa traduction.

Je n'attendais plus que la venue du Juif aixois, et je me trouvai là précisément lorsqu'il arriva chez son oncle qui le bénit en l'appelant Eliézer.

C'était un homme de trente ans dont on ne pouvait dire qu'il manquât de race, quoique son profil fût d'un dromadaire dont le front serait couronné, et la joue encadrée d'un astrakan blond. Ses yeux avaient la couleur de liards devenus verts à toutes les intempéries. Il portait un vêtement de confection, qui n'eût présenté rien d'étrange sans une musette de soldat, passée en bandoulière, et dont il me dit qu'elle contenait le fameux manuscrit et ses instruments de minéralogiste.

Il m'avisa que, le lendemain, il désirait se rendre à Ascain pour assister à une importante partie de pelote.

Voulant dès l'abord me montrer aimable, je lui offris, ainsi qu'à son oncle, de me joindre à eux, mettant à leur disposition une voiture qui nous emmènerait de Bayonne, conduite par mon loueur habituel. Jacob Meyer se récusa, mais engagea son neveu à accepter, qui d'ailleurs ne se fit point prier.

Je le pris donc avec moi, et tandis que nous roulions vers le but en traversant les délicieux trumeaux émaillés que sont les villages du Labourd, notre conversation ne tarit pas sur la légende basque. Eliézer Meyer connaissait à fond la langue de ce pays où il était né quand son père était officier d'administration à la forteresse de Bayonne.

— Oui, disait-il, elle est vraiment belle, n'est-ce pas, cette légende d'Ondicola que nous gardons aussi précieusement qu'Aladin sa lampe merveilleuse? Et vous dirai-je que, depuis que je l'approfondis davantage, ma grande occupation est d'en faire la synthèse, et mon grand attrait d'y réussir, c'est-à-dire de voir revivre dans ce peuple tous les germes en puissance dans les héros de cette charte?

Et comme, assis tous deux sur un mur, les jambes pendantes, tout près du fronton d'Ascain, nous venions de suivre du regard, saisis d'un frisson sacré, la pelote gravissant, tel qu'un astre d'ombre, dans l'azur immaculé :

— Regardez, mais regardez donc cette assistance, me dit Eliézer. Admirez ces femmes de la race d'Ithargia, cette suprême et fine grâce mouvementée comme la vague qui l'apporta ; ces mantilles pareilles à de légères voiles déployées sur la nuit des cheveux et des yeux ; ce corail et ces perles des bouches ; tout ne décèle-t-il pas l'origine orientale, l'aristocratie d'une race éclose au pays des gazelles?

— Quant aux Orientaux, reprenait Eliézer, la partie terminée, et tandis que nous nous rafraîchissions dans la naïve auberge, les voici, mais reconstitués par Ondicola, rapprochés de notre paradis terrestre. Ils n'ont guère conservé de défauts que cette indolence qui les porte à laisser leurs femmes se substituer à eux dans les travaux et les comptes de la cordonnerie, le premier de leur art. Et puis, n'aiment-ils point, à l'exemple de leur ancêtre Hafiz, de goûter sous les tonnelles un vin de la couleur des roses? Et, puisque nous parlons de Hafiz, voyez Hafiz ressusciter en eux!

Deux hommes s'étaient levés gravement et se faisaient face d'une extrémité de la salle à l'autre, tandis que la multitude, se massant pour les entendre, s'imposait silence.

Leur chant mélancolique monta.

Ils se répondaient tour à tour, et la lumière baignait dans l'ombre leurs masques inspirés.

Leurs voix vibrèrent longtemps dans le crépuscule.

Pour prolonger l'extase d'une si belle journée, nous décidâmes de ne regagner Bayonne que le lendemain ; et d'ailleurs, la nuit, le col de Saint-Ignace est dangereux.

Nous flânions avant souper :

— Voilà, me dit Eliézer, de la digitale encore en fleur. C'est une digitale, vous en souvenez-vous, qu'Ithargia plaça entre les doigts de sa fille expirante.

— Comment, répondis-je, ne me rapellerais-je pas le moindre détail de cet admirable poème?

— La digitale, reprit-il, habite le silex qui lui donne peut-être cette divine flamme rose qu'ont aussi les étincelles qui jaillissent de lui.

Je regardai Eliézer. Avait-il du génie? Il ne paraissait point s'en douter.

Nous revînmes à l'hôtellerie du Jeu de l'Oie, où l'on nous servit de la truite et du confit.

Nous errâmes ensuite dans le clair de lune. Eliézer semblait devenu muet, mais il était impossible de ne pas s'apercevoir qu'il avait la connaissance détaillée des lieux où nous nous trouvions.

Peut-être la recherche des métaux et des sources l'avait-elle conduit déjà là? Il se baissait, de temps à autre, prenait pour l'examiner à la lueur de la lune quelque fragment de roche éruptive où, parmi les noires constellations du mica, fulgurait un éclair de cuivre.

Minuit sonna au clocher d'Ascain.

Eliézer entra au cimetière. Je le suivis.

Quelle calme poésie dans ce jardin des morts! L'Israélite qui s'était découvert me fit un signe du doigt, me montrant, sur une vaste pierre tombale que pâlissait le soleil de la nuit, ces huit lettres gravées : *ONDICOLA*, sans date, ni autre indication.

— Ce nom, me dit-il enfin, est d'une famille célèbre par ses pilotaris. Je ne sache rien de plus, sinon, comme vous l'avez appris vous-même, qu'il est le plus vieux du pays basque, celui du fondateur que la légende nous révèle ; et je ne serais point surpris que l'un des six fils d'Iguskia et d'Ithargia l'eût porté, et que la longue lignée l'ait conservé par respect des ancêtres. Les Ondicola sont maintenant de pauvres hères, mais qui sait?

Nous reculâmes, car nous voyions la vieille pierre se soulever d'elle-même et Ondicola sortir du sépulcre.

Il regagnait le ciel, vêtu splendidement comme une constellation.

Il était suivi de tout son peuple. En tête s'avançaient, d'une incomparable beauté, tels que dans leur pure adolescence, Iguskia et Ithargia ; puis leurs fils, et les femmes de ceux-ci, et leurs descendants dont l'un se faisait remarquer par son audace : il montait seul un esquif sous qui roulaient les nuages et, soudain, il lançait le harpon. Des flottilles escortaient ce marin qui semblait être l'amiral de ces Basques, épris de contrées lointaines et qui ne cessent d'affronter l'inconnu.

Certains sombraient avec leurs barques, mais d'autres abordaient en des archipels de lumière.

Puis venaient les agriculteurs qui labouraient l'espace, d'une simplicité d'attitude et de mise qui regagnait celle des pasteurs dont on voyait neiger les brebis dans l'aube naissante.

Un groupe de guerriers menaçait de makhilas des fils de Mahomet.

A la suite de saint Léon, processionnaient les innombrables enfants du pays qui ont épousé le Christ. Ils portaient des vêtements noirs ou blancs dont quelques-uns étaient tachés de sang. Ils étaient les martyrs de Chine et d'ailleurs, qui avaient quitté la maison bien-aimée aux longues ailes pendantes. L'un d'eux portait le Sacrement autour duquel, comme à Hélette encore, les hommes dansaient, graves de joie. Des pilotaris l'ombrageaient avec leurs gants de cuir ou d'osier.

Puis venait le troupeau des fidèles, l'humble peuple au cœur d'or des petits négociants qui taille le cuir, débite la viande, fait griller le café devant les portes.

L'angélus m'éveilla. Je m'étais laissé gagner par le sommeil dans le champ des morts, la tête contre une touffe de romarin. Eliézer dormait à quelque distance. La tombe d'Ondicola était toujours là, mais close.

La sonnerie des cloches reprit en s'accentuant. La douce vallée était bercée par elle. C'était au matin de la Fête-Dieu.

Une louange sans nom monta de la matinée.

De vivants chemins, à onze heures, se mirent en marche : on ne savait plus si c'étaient les cerisiers qui s'avançaient, où la foule. On entendait l'orage des tambours et, par moment, entre leurs batteries et celles des clairons, l'hymne montait et s'affaissait comme la mer. Puis le grondement reprenait dans le rire des cloches en extase, et le regard bleu du ciel se reposait avec amour sur les blés.

Que ce paysage était simple! Simple comme cette race unique fondue à la sérénité des collines, à la clémence du climat, à la frugalité des terres! Elle suivait ce morceau de Pain qu'est son Seigneur et son Dieu. Elle le suivait sans hésitation, le cœur au large et tout baigné d'une rosée angélique. Ils allaient, leurs grains de bois sec dans une de leurs mains calleuses et, dans l'autre, le béret dont ils montraient la belle doublure neuve, vêtus du court chamar ou de la veste commune, le pantalon arrêté au-dessus de la cheville pour que la poussière ou la boue n'atteignît que les gros souliers.

Es-tu content de ton peuple ; est-ce ainsi que tu l'as voulu, Ondicola?

Lorsque, dans la soirée, Eliézer et moi nous nous en retournâmes, les sentiers étaient jonchés d'herbages et de fleurs et tout parfumés de menthe.

Nous relayâmes à Hasparren où nous couchâmes. Ville délicieuse, charme premier du pays basque où les magasins bas, avec leurs porches romans, leurs naïves enseigne, la pauvreté de leurs denrées exposées aux devantures, suffiraient à nous guérir de la croyance qu'il est nécessaire, pour vivre, de se trouver aux portes du Louvre ou de l'Institut Pasteur!

Le lendemain matin, Eliézer ayant la migraine demeura au lit. Je me dirigeai seul, à pied, vers cet Ayherre où la légende situait le foyer d'Iguskia et d'Ithargia.

J'aperçus le château démantelé de Belzuncia. L'air était blond et argenté comme une perle, où les blés prenaient déjà la teinte sombre de la terre.

Au flanc de la colline était un champ modeste où vinrent deux faucheurs, un jeune homme et une jeune femme. Je songeai à Iguskia et à Ithargia qui s'étaient épousés dans les flammes de la moisson.

Je me rapprochai de ce couple qui était d'une indicible beauté, transmise à travers les âges sur l'aile de l'Amour selon le vœu d'Ondicola. Leurs regards étaient tels qu'ils donnaient à penser que la lumière peut être noire.

Je leur dis que j'étais venu de Hasparren, visiter les ruines proches de leur ferme, ce dont ils ne s'étonnèrent point car elles éveillaient parfois la curiosité des promeneurs. Ils ne souffrirent point que j'allasse prendre mon repas à l'auberge et, avec cette simplicité habituelle à leur race, ils m'invitèrent chez eux.

La femme nous servit, après quoi leurs quatre petits garçons, qui se suivaient de tout près par l'âge, vinrent manger debout la soupe qu'on leur présenta dans une écuelle. Ils burent de l'eau dans un bol ébréché, puis s'en allèrent satisfaits. Sur deux chaises, l'un en face de l'autre, un aïeul et une aïeule somnolaient.

Je sortis pour aller contempler l'ancien château, mais plutôt pour évoquer le premier foyer eskuarien qui l'avait précédé de bien des siècles.

Les remparts tombent, mais la terre ne meurt pas. Aussi magnifique était peut-être cette campagne qu'aux jours premiers d'Iguskia et d'Ithargia.

Avant de regagner Hasparren, j'allai remercier mes hôtes. Ils étaient assis sous un noyer qu'on eût dit tout chargé de nuit fraîche. Ils se tenaient par la main avant que d'aller reprendre leurs faucilles. Une caille au loin appela.

Je ne fis part ni de mon rêve ni de mon excursion aux ruines d'Ayherre à Eliézer.

LE SIÈGE DE PAMPELUNE

Peu de jours après notre course a Ascain, je me retrouvai avec Eliézer chez son oncle dans ce vieux Bayonne si pittoresque où jadis aborda, au retour des Indes occidentales, l'une des caravelles de Christophe Colomb.

Pays de Robinsons, d'explorateurs, de pêcheurs, de corsaires, que n'as-tu ajouté cette devise à ton blason, lue sur un vieux pot anglais : « *Les aventures sont pour les aventureux.* »

J'attendais avec une certaine impatience la suite, à laquelle j'avais été convié, de la légende basque.

Le début du deuxième chant me surprit.

C'était une sorte de préambule, davantage un exposé qui semblait, plutôt que d'un poète, l'œuvre, eût-on parié, du copiste.

Quel copiste? Que, dans une langue non écrite, ou dont le graphique a disparu, il y ait quelques exceptions, soit! Il n'en est pas moins vrai que ce Juif aux yeux verts, affublé d'un prénom si extravagant, me donna un léger choc lorsque je l'entendis, comme on va le voir tout à l'heure, employer le mot *curé* dans sa traduction.

A la vérité, ce mot ne semble avoir que faire avec, je ne dis pas la religion, mais l'esprit d'une époque aussi reculée. Ce pouvait être une faute de goût de la part du neveu de Jacob Meyer, tout au moins une bizarrerie. Mais je dois prévenir les lecteurs, afin qu'ils ne me tiennent point pour un naïf, qu'à partir de cet instant, je fus assailli par le doute. Eliézer ne m'étonna pas moins que, dans la même séance, après avoir ouvert une parenthèse explicative que je n'ai pas consignée, mais qui avait trait au procédé d'Ondicola pour sélectionner la race eskuarienne, il prononça : « Et, d'ailleurs, la diplomatie est la science de l'amour. »

Allais-je me lever, faire éclater mon mépris, ou m'esquiver sans bonjour ni bonsoir? J'eus la sagesse de n'en rien faire.

Je remis à plus tard la clef d'or du mystère. Qu'importait son auteur véritable si l'œuvre continuait de me ravir, et ne faut-il pas, après tout, que toujours par quelqu'un le Robinson commence?

— En Labourd, en Soule, en Basse-Navarre, traduisit Eliézer qui semblait suivre le mot à mot du texte rapporté d'Aix, on vit, huit cents ans après la destruction de l'*Eskualdunak*, s'élever çà et là de jolies églises à triple clocher, adossées à leurs presbytères dont les jardins produisaient des légumes, des fruits, des lys blancs et des pois de senteur.

Ces paroisses naissantes vécurent longtemps en paix, mais les curés (*sic*) représentèrent à leurs brebis, capables de se transformer en lions, que le diable donnait depuis longtemps le siège à leurs frères basques d'Espagne.

On sait que ceux-ci avaient appris des Maures l'industrie du cuir et l'agriculture raisonnée, qu'ils avaient transmises à leurs parents restés en France quand ils les y allaient visiter. Mais ils ne furent pas longs à s'apercevoir que la race maudite de Mahomet, pleine de dissimulation, ne leur voulait que du mal. Et ce qui mit le comble à leur indignation, ce fut le martyre que de tels barbares infligèrent à la chrétienne Eurosie qui s'était refusée à épouser l'émir. Les Basques de France se portèrent au secours de leurs frères outragés et, les secondant, s'emparèrent de Pampelune.

Le texte de la légende, observa ici Eliézer, emploie le style lyrique dans le passage qui suit et qui a trait précisément à la prise de cette ville. Il y a même, dans la seconde partie, un essai que je crois devoir traduire en en respectant la prosodie.

Quand les descendants d'Iguskia et d'Ithargia arrivèrent sous Pampelune, le crépuscule était comme un grand oranger parfumé.

L'émir reposait dans son pavillon avec ses femmes couronnées de fleurs de grenadier. Le bourdonnement des guitares énervait leurs amours.

Ah! l'on te retrouve bien là, mollesse orientale dont Ondicola vint à bout lorsqu'il fit exploser son *Eskualdunak* d'or, après avoir lâché sur une terre incomparable un couple vierge!

Les fils d'Iguskia et d'Ithargia sont sous tes murs, ô Pampelune! Ils viennent enfin brûler les dieux qu'ils eussent adorés sans un maître audacieux qui anéantit son équipage avec lui.

Voici les principaux comtes basques : Arnaud de Macaye ; Sanche d'Espelette ; Ramoun de Tardets ; Bernard d'Iholdy ; Auger de Mauléon ; Ondicola d'Ascain.

Qu'ils ressemblent peu à ces païens, obèses la plupart, vautrés dans l'orgie, empêtrés dans leurs tuniques, gavés de confitures de roses!

Arnaud de Macaye descend de Zoardia, l'aîné de ceux qui avaient épousé les belles enfants dont l'une avait séduit le Zéphire à bord de l'Amodioa. Après avoir navigué au long des côtes, il est revenu dans son village au milieu de sa tribu. Et, avec ses mules, passant et repassant la frontière, il fait commerce d'huile et de vin.

— Où est, s'écrie-t-il, en avançant vers le rempart, l'émir, que je le crève comme une outre?

Arnaud de Macaye ne porte casque ni cuirasse, ni autre vêtement de guerre, mais le petit béret basque, le chamar, et un pantalon aussi léger qu'une feuille. Ses longs cils ombragent son regard :

Il tient serré son makhila flexible
Dont on voit bien qu'un seul coup abattrait
Le Sarrazin avec son minaret.
Il porte un cor de chasse à la ceinture
Ses compagnons sont armés comme lui
Du makhila qui ne sait faire grâce.
Sanche est celui qui descend d'Aritza.
Son fief domine un sommet d'Espelette
Qu'on a nommé le mont du Mondarin.
Navigateur intrépide il s'en fut,
Accompagné de ceux de la Bretagne,
Depuis le cap extrême de l'Espagne
Jusqu'au pays que l'on ne connaît plus.
Quand il revint, Gachucha fut sa femme.
Et depuis lors il tisse des lainages,
Qu'un de ses fils va vendre en Oloron.
Quant à Ramoun, qui descend de Suâ,
Dedans Tardets, la céleste vallée
Qu'il n'a jamais jusqu'à ce jour quittée,
On ne peut pas dénombrer ses brebis.
Il vend sa laine à Sanche d'Espelette.
Il est danseur et, toujours sous ses pieds,
On voit le vide et le soleil briller.
Après s'en vient Bernard, chef d'Iholdy,
Qui fit, dit-on, premier le tour du monde,
Puis s'enrichit à bien tanner le cuir.
Et, plus que tous, il en veut à l'émir,
Parce qu'il est beau-frère d'Eurosie.
Auger qui sort de Mauléon la terre
Contre la gent est si fort en colère
Que l'on croirait qu'il porte le tonnerre.
Et cependant, par ordre de Clotaire,
De père en fils sont en leurs lieux notaires.
Ondicola d'Ascain paraît ensuite
Toujours lequel fut un pilotari.
Au makhila s'adjoint sa plus rude arme,
Son chistéra qu'il porte sur le dos.
Qu'on le redoute, il est si fort qu'il peut
Lancer la balle aussi loin qu'il le veut.

Dans leur fureur vengeresse, ils étaient tellement sûrs de leur triomphe, ces comtes et leurs vassaux, qu'ils avaient demandé aux plus jolies filles basques de les accompagner.

Le choix ne fut point facile, elles sont légion. On en dut réduire le nombre et faire pleurer de doux yeux. Les favorisées partirent donc, le cœur léger.

Que l'on n'aille pas croire que ce fut pour bafouer la morale. Elles étaient honnêtes. Mais Arnaud, mais Sanche, mais Ramoun, mais Bernard, mais Auger, mais Ondicola d'Ascain avaient jugé que le plus dur supplice qu'ils puissent infliger à des mahométans enchaînés était de faire défiler devant eux ces beautés merveilleuses. Ce qu'ils firent. Et l'émir en mourut.

Je ne savais, tandis qu'Eliézer suspendait là cette partie de la légende basque, s'il me fallait éclater de rire ou me fâcher, ou garder mon calme. J'optai pour cette dernière attitude. Jacob Meyer, opinant du bonnet, applaudit cette fin du chant.

CHANT D'AMOUR DE TIRUZTAYA ET DE LÔRÉA

J'ai dit que le prétexte qui avait été donné par son oncle, de la venue d'Eliézer, était d'une eau salée dont on s'occupait fort en ce moment pour la conduire à Biarritz.

Des hommes autorisés tels que MM. Raymond Baron, Hézard et Bergeroo, étaient parmi les membres de la Société qui s'était fondée.

Il me serait bien impossible d'informer sur le rôle que joua dans cette affaire le neveu de Jacob Meyer durant les quelques semaines qu'elle le retint ici. Il semblait s'intéresser alors à la minéralogie du système cantabrique, mais je ne pus me défendre d'une certaine méfiance touchant ses capacités, quand il me fit part, à propos d'un soulèvement d'ophite d'une théorie qui ne tenait pas debout. Je n'en jugeai pourtant que par les vagues leçons d'histoire naturelle apprises par moi au lycée de Bordeaux, d'un professeur, il est vrai fort distingué, M. Kuntsler.

Eliézer me montra un perforateur à pointe de diamant, dont il me dit qu'il lui servirait à atteindre une nappe de pétrole située à Saint-Boës, près d'Orthez.

Il ne me parla plus, momentanément, de la suite de la légende basque.

Etait-ce que, cette suite, il prenait le temps de la composer ou qu'il voulût me la laisser désirer? Mystère. Je n'y fis aucune allusion, encore qu'un mot de Jacob Meyer m'eût fait entendre naguère que l'un des plus sublimes passages des Robinsons serait un duo d'amour, chanté par des descendants de Zoardia, au printemps, à l'entrée de ces grottes d'Isturitz, dont je possédais la clef.

Cette clef, combien je sentais l'oncle et le neveu vivement possédés du désir de l'introduire dans la serrure interdite!

Je continuais de fréquenter chez le vieux, le trouvant mainte fois occupé à quelque délicat travail, comme d'examiner les arborisations d'une émeraude ou, ce qui ne l'est pas moins, d'en discuter le prix avec quelque femme du monde.

Il ne se gênait point ; il semblait même que ma présence le stimulât pour exiger d'âpres conditions de belles clientes qui connaissaient les détours d'ombre de l'étroit et discret escalier de la rue Pontrique.

Parfois nous reprenions le cours de nos conversations littéraires, ou nous allions pêcher les petits muges de la Nive. J'aime ce passe-temps populaire, et de me retrouver dans la compagnie de ces maniaques s'efforçant de fixer autour d'un hameçon l'appât, si vite désagrégé, d'œufs de merluche.

— Il est une science, me dit Eliézer, un après-midi que je le rencontrai chez son oncle, à laquelle je m'adonne passionnément : l'anthropologie préhistorique. Les grottes d'Isturitz…

Encore! me dis-je. L'oncle et le neveu ont dû se passer le mot! Faut-il donc qu'ils soient têtus et indélicats pour me reparler de ces grottes, vouloir me faire manquer à mon engagement, alors qu'ils savent que c'est moi précisément et le cerbère qui devons nous opposer à toute infraction.

— Les grottes d'Isturitz, insista Eliézer, offrent aux spécialistes de l'âge de pierre un intérêt qui se double pour moi de tout ce que m'a fait connaître des origines du peuple basque la légende ondicolienne. Isturitz, quel nom! Est-ce que des descendants de Zoardia et d'Aritza, s'il faut en croire un magnifique passage que je vous traduirai prochainement, ne le rendent pas plus harmonieux encore par les accents d'un amour ineffable qui, après plusieurs siècles, commémore les élévations d'âme de leurs ancêtres? Ce n'est que chants d'oiseaux buvant aux calices de fleurs printanières.

Il fallait bien que je m'avouasse que, trompeurs ou non, Eliézer et son oncle se servaient d'un joli langage, et que la perspective d'entendre ce pur duo auquel ce dernier avait déjà fait allusion excitait ma passion poétique.

Mais je ne pouvais me déprendre d'un certain malaise. Et, de penser qu'on avait influencé mes nerfs, jusqu'à m'avoir fait rêver si étrangement à la légende basque dans le cimetière d'Ascain, augmentait mon trouble. Ces Hébreux agissaient sur moi comme s'ils m'eussent dosé les drogues dont usaient les passagers de l'*Eskualdunak*. Il me faudrait réagir à temps.

— J'ai d'ailleurs, poursuivit Eliézer, promis à Salomon Reinach de me mettre en quête d'un ours en pierre tendre, catalogué par Pierre Loti, et que les primaires de ces grottes ont sculpté plusieurs siècles avant que s'y réfugiassent Iguskia et Ithargia. Les savants actuels suivent un plantigrade pétrifié avec autant d'ardeur que les sauvages qui l'ont exécuté le poursuivaient, vivant, de leurs flèches de silex et d'os. Vraiment, ne pourrait-on explorer des lieux si attirants dont, bien entendu, aucun objet ne serait distrait, mais infiniment respecté? Quant à l'ours, cher monsieur, si on le retrouve, il n'est que d'en référer à son propriétaire. Nous n'en serons que les montreurs. Qui dit Salomon Reinach dit prince munificent.

Comme il me voyait inquiet, gêné, hésitant, Eliézer continua :

— Ecoutez-moi bien. Je ne vous demande, pour une première entrevue avec les grottes d'Isturitz, et jusqu'à ce que vous nous ayez obtenu de M. Passerose la permission d'y pénétrer, que d'aller vous y lire, à l'entrée, le duo d'amour de la légende, et, seulement dans le cas où vous le jugeriez digue de votre reconnaissance, vous vous emploieriez à nous obtenir la permission que nous désirons tant.

— Eh bien! soit, prononçai-je.

Mais j'éprouvai quelque honte de cette lâcheté où venait de m'induire moins sans doute l'amour de la poésie que ma vive curiosité pour le roman en action que me tramaient ces Juifs, sous prétexte de Robinsons basques.

Une journée sans nuages enveloppant de sa netteté la trouble et bleuâtre colline d'Isturitz nous réunit tous trois à l'entrée de ses grottes. Nous avions laissé, à quelque distance, dans une auberge, voiture et cocher.

Nous retirâmes de nos paniers une langouste, une galantine et un pâté de foie qui me donnèrent à réfléchir sur les animaux que proscrit la loi mosaïque. Quant aux vins, ils lançaient, entre les doigts de Jacob Meyer, des éclairs de rubis et de topaze. Horace et ses convives ne se fussent pas mieux traités dans la villa de Castétis.

Lorsque la douce langueur, qui suit sur l'herbe ombreuse le repas de midi, m'eut quelque peu enveloppé, Eliézer retira de sa musette le précieux texte, ou sa traduction, ou son adaptation, comme il vous plaira.

Et il lut :

— Voici le duo nuptial que chantèrent, pour la première fois, dans la région d'Isturitz où leurs antiques parents, Iguskia et Ithargia, les ont précédés dans la jeunesse et dans l'amour, Tiruztaya, homme du foyer de Zoardia, et Lôréa, fille de la tribu d'Aritza.

TIRUZTAYA

J'ai trouvé, sur le sommet d'Abbaratia, une rose sauvage dont le charme est incomparable, non pas qu'elle soit moins ou plus rose qu'une autre, ni davantage odorante, mais, à mesure que je gravissais vers elle et que mes yeux en buvaient la rosée, ah! je comprenais qu'elle n'avait été touchée même par une abeille : par le ciel seulement.

LÔRÉA

Sur la cime de la montagne cette rose s'est plu à incliner sa tige, formant un arc aussi doux que ton nom, ô Tiruztaya!

Mais, brusquement, s'est détendue la tige, et moi qui en étais la fleur, je me suis décochée avec force pour venir me poser sur ton cœur.

TIRUZTAYA

Que nos petits cousins appellent les fauvettes avec les fifres dont ils enchantent le long après-midi. Elles ne répondront plus à leur invitation, ô Lôréa, si elles t'ont entendue, mortes de jalousie.

LÔRÉA

Lorsqu'on célébra, il y a un an, la fête ondicolienne, c'est alors que, pour la première fois, je te distinguai parmi les pilotaris.

Et quand, avec un geste que je ne peux pas dire, tant il fut mesuré dans l'espace, tu brandis le gracieux berceau d'osier du chistéra, mon cœur, que tu avais mis dedans, ne fit qu'un bond.

Et je vis, ô joie! mon cœur monter et redescendre vers un rival que tu provoquais.

Mais toi, comme donnant un ordre à ce cœur, tu t'en jouais, le rappelant sans cesse, le relançant, le reprenant encore, le renvoyant jusqu'à ce que te restât la victoire au milieu des applaudissements.

TIRUZTAYA

Je bercerai ton cœur dans ce hamac d'osier où roule la pelote afin qu'un jour, auprès de notre couche nuptiale, j'y berce aussi nos petits.

LÔRÉA

Ne me fais point rougir, ô Tiruztaya!

TIRUZTAYA

Comment te ferais-je rougir puisque, déjà, tu es rose? Mais si tu veux à moi-même voiler ton teint d'églantine, laisse mon front se rapprocher du tien jusqu'à ce que je n'y voie plus.

LÔRÉA

Attends encore, Tiruztaya.

C'est dans le front que les jeunes filles cachent leur pensée la plus pure.

Et lorsque tu les vois se tenir si droites, elles veulent que la poussière soulevée par leurs pieds ne puisse atteindre cette plaque de marbre où, invisiblement, le nom du bien-aimé est gravé.

TIRUZTAYA

Rien ne courbe donc votre fierté?

LÔRÉA

Il faudrait, pour que je consentisse à abaisser ton nom chéri, que je porte à la cime de mon être, que tu me tuasses d'un coup de flèche en me trahissant.

Alors, ô tristesse! je ne saurais que m'abattre tout du long, ma tête à tes pieds.

TIRUZTAYA

Ma Lôréa, n'aie point d'aussi folles pensées qui pourraient engendrer la tristesse.

Tu sais l'honneur du pays basque, le foyer où Iguskia et Ithargia cuisaient leur pain d'asphodèle.

Si, parfois, hélas! de tes compagnes étourdies glissèrent sur la mousse de la colline en poursuivant un lièvre matinal, enveloppées aussitôt par les filets des pâtres, jamais épouse qui jura par sa foi n'a menti à la vallée paisible.

LÔRÉA

Il faut que la jeune fille devienne épouse, et que celle-ci présente à ses enfants un visage dont les yeux n'ont miré que le regard de leur père.

Et il faut qu'on l'ensevelisse dans sa tunique nuptiale.

TIRUZTAYA

La tradition raconte que les belles-filles d'Ithargia, ayant que d'épouser ses fils, toutes élégantes encore des parures qu'elles portaient sur l'*Amodioa*, déposèrent dans ces grottes et scellèrent dans le roc leurs légers vêtements d'Asie.

Ils étaient de soie, et chacun n'avait d'autre ornement qu'un long narcisse brodé.

LÔRÉA

Je n'ai point de robe de noces si belle. Et tu ne m'en voudras pas de ne t'apporter que moi-même au lieu d'un vêtement brodé.

Cette finale, certes, était ravissante, et l'ensemble du morceau d'une haute tenue. Mais le modernisme, si je peux dire, y paraissait en transparence comme à travers un sujet ancien la grâce, jadis neuve, d'un Sandro Botticelli.

Le narcisse brodé me semblait être un impudent défi à ma crédulité.

Si sot qu'on croie un poète (et je passais alors par cette épreuve du mépris que fait peser sur nous, le monde en général), je ne l'étais point tellement que je donnasse dans ce panneau, si recouvert de fleurs fût-il! Ce qui me faisait trouver la plaisanterie plus mauvaise encore c'était qu'elle me fût servie non seulement par des gens d'un goût très averti mais qui, s'ils étaient les auteurs des Robinsons basques, étaient doués d'un génie poétique au moins égal au mien. Et, d'envisager cette dernière hypothèse, n'allait point de ma part sans aigreur.

Je faillis leur crier : « Prenez-vous donc Pégase pour une bourrique? » Mais j'en fus retenu par la noblesse même de ce chant nuptial, et, dis-je, par le désir de connaître le but et l'issue d'une machination aussi baroque.

Nul doute que les deux gaillards ne voulussent entrer en possession de la clef des grottes d'Isturitz. Mais à quelles fins? Je me méfiais que ce ne fût point pour en inventorier les curiosités préhistoriques, pensait-il que je l'autoriserais, me sentant piqué au jeu, à s'en aller, en compagnie de son oncle, rechercher dans la noirceur de ces cryptes les mousselines où neigeait le légendaire narcisse d'amoureuses?

Je dois à la vérité de dire que, faisant preuve, ce jour-là, d'autant de tact que d'adresse, Jacob non plus qu'Eliézer ne me sollicitèrent au sujet de la clef.

Ils n'en parlèrent point davantage au gardien lorsque nous allâmes, au retour, serrer sa patte velue. Il vivait, non loin d'une caverne, dans la compagnie de ses quatorze jeunes enfants et de leur mère. De celle-ci il nous dit qu'elle avait autant de lait qu'une vache bretonne, et qu'il ne serait point embarrassé, en l'absence de nourrissons, d'en tirer cinq francs par jour, s'il l'allait vendre à la ville ; Cette rusticité dans le propos cadrait avec cette féroce observance de la consigne qu'il ne levait qu'en faveur de M. Passerose — le propriétaire même des lieux — ou que pour moi. De toutes autres gens, même que je lui eusse recommandés, il eût exigé, encore qu'il ne sût pas lire, une autorisation écrite de M. Passerose.

Cet indigène, nommé Salbaya, nous indiqua d'un geste du menton, qu'il accompagna d'un sourire lacustre, un fusil rangé au-dessus de la cheminée, nous disant l'avoir chargé de grenaille et de gravier. Puis, il pointa un index terrible dans la direction des grottes.

Salbaya n'était, au fond, qu'un de ces hommes nés pour se dévouer jusqu'au sang à de nobles causes, mais qui ne trouvent point emploi de leur courage. Moins éloignés du monde, plus instruits, sans doute eussent-ils joué des rôles de partisans ou de soldats. Ne s'étant pu réaliser ainsi, en aucune façon, Salbaya concevait une fierté désordonnée d'avoir été investi — la rase campagne aidant — de cette fonction de gardien-chef d'un refuge d'ours antiques.

En prenant congé de lui, nous remîmes nos doigts dans sa griffe. Puis notre calèche nous ramena lentement, par Saint-Martin, Saint-Esteben et Bonloc, à la place de Hasparren.

Chemin faisant, nous fîmes halte au pont de l'Arbéroue, et nous nous plûmes à regarder trois jeunes gens qui, la culotte relevée au-dessus du genou, fouillaient avec un filet les dessous de la berge pour y puiser des truites.

Ils les enfermaient en des vanneries en forme de carafe, tressées par des Bohémiens, et qu'ils bouchaient avec des feuilles d'aulne.

Nous observâmes qu'ils rejetaient avec mépris, en retirant les poissons du piège, les écrevisses qui y grouillaient. Nous les priâmes de vouloir bien nous réserver celles-ci. Ils le firent de la meilleure grâce du monde, et nous remportâmes ainsi, pour quelques sous, un plein panier de ces excellents crustacés, bien loin que je pusse soupçonner le rôle qu'ils allaient jouer avant peu dans la légende ondicolienne. A ce moment je me fis cette seule réflexion que les jeunes pêcheurs qui pratiquaient un sport aussi simple ne devaient point différer beaucoup des premiers Robinsons basques.

Nous fîmes cuire et mangeâmes nos petites bêtes, le soir même, dans l'hôtel de la gracieuse petite ville, l'hôtel Gascoïna. Puis nous regagnâmes, non Bayonne qui était assez éloigné, mais ma villa où j'avais fait préparer des chambres pour mes compagnons de voyage.

S'ils furent imprudents d'accepter mon hospitalité, la suite va le dire. Mais j'étais loin de me douter, quelques heures avant de les loger, que le mystère dont ils entouraient leurs faits et gestes à mon égard allait s'éclaircir.

LA VÉRITÉ DANS LE RÊVE

Je les croyais profondément endormis. Il était une heure du matin. Je ne m'étais pas encore déshabillé. J'avais ouvert un volume d'Alfred de Musset, comme tant de fois au cours de mes veilles, et je m'étais laissé gagner par le triste charme du plus fiévreux de ses poèmes, cette Nuit de décembre que je ne peux lire sans frissonner. J'en étais à ces vers :

Mais tout à coup j'ai vu dans la nuit sombre

Une forme glisser sans bruit.

Sur mon rideau j'ai vu passer une ombre,

Elle vient s'asseoir sur mon lit.

Qui donc es-tu, morne et pâle visage,

Sombre portrait vêtu de noir?

Que me veux-tu, triste oiseau de passage?...

... lorsque, la porte s'ouvrant, Eliézer parut, silencieux comme un fantôme et qui prit place sur ma couche dont le drap n'était point plus blafard que sa face.

Il portait comme à l'habitude un costume de deuil.

Je claquai des dents, puis lui demandai :

— Vous êtes malade sans doute? Voulez-vous lire la dernière chronique de Francisque Sarcey dans le journal le *Temps*?

J'eus conscience, tant cette vision me terrifiait, je ne sais pourquoi vraiment, que ce que je venais de dire n'avait aucun sens et que je lui offrais le *Temps*, auquel je n'ai jamais été abonné, comme j'eusse pu lui proposer une chasse au tigre dans une forêt du Bengale.

— Ce n'est point tout ça, me répondit-il d'une voix très nette et qui ne laissait point supposer qu'il ne fût là en chair et en os : parlons!

— Allez! dis-je, sans que je perdisse un seul grain de ma chair de poule.

— Eh bien! voici : mon oncle et moi nous sommes Juifs.

Je m'inclinai avec la déférence polie que l'on marque à un homme qui vous confie qu'il est sourd.

Et il poursuivit en donnant à son langage autant de précision qu'à l'ordinaire :

— Et vous vous êtes aperçu que nous nous moquions de vous?

Ma main se souleva comme un clapet, du bras du fauteuil où j'étais assis et s'y reposa.

— Ne pensez pas, continua-t-il, que cependant je ne puisse être sincère. Et la preuve en est que je viens, au milieu des ténèbres, vous faire ma confession, aussi pénible, aussi humiliante qu'elle puisse être à un *déshabitué*.

Il prononça *déshabitué* d'une manière si aiguë et si étrange, modulant chaque syllabe, que l'on eût cru d'une hulotte.

— Je vous le déclare sans ambages : nous sommes des voleurs, mon oncle et moi, celui-ci ayant découvert chez un bouquiniste du vieux Bayonne, et s'étant approprié, un document qu'il aurait dû remettre aussitôt à la famille Passerose ; et moi, en lui prêtant mon concours, afin de nous emparer seuls d'un trésor dont ce parchemin fait mention. Ce trésor est enfoui dans les grottes d'Isturitz. De là notre acharnement à nous faire remettre par vous la clef du souterrain. De là...

— ... cette invention de la légende basque, bien capable de séduire et d'envoûter une nature comme la mienne. M'est-il à présent permis, cher monsieur, de vous demander à quelle source, si proche de nous qu'elle soit, vous avez été puiser votre rhapsodie?

— La source? déclara Eliézer de la manière que Louis XIV affirmait : « L'Etat c'est moi », la source et moi nous ne faisons qu'un.

— Mais cette étrange entrée en matière de M. Jacob Meyer touchant l'*Eskualdunak* et les premiers Robinsons basques?...

— Mon oncle n'a été que le canal. Je fus l'amorce. Il fallait vous gagner à tout prix pour tâcher d'obtenir, grâce à vous, de l'inflexible M. Passerose, l'autorisation d'entrer librement dans le flanc de la colline. Nous savions que vous rejetteriez avec dédain toute offre de participer avec nous au partage du contenu du coffre, car c'est bien d'un coffre qu'il s'agit. Il se trouve à une distance (conversion au système décimal actuel) de soixante-cinq mètres trente-deux centimètres de l'entrée, le long de la paroi droite, et à un mètre vingt-six centimètres de profondeur. Il a été déposé là, durant la Terreur, par un Antoine Passerose, ascendant du propriétaire actuel, et qui gagna la Hollande pour se soustraire à la guillotine qui allait se déclencher à Bayonne. Il émigra après avoir confié à un sans-culotte de façade, pour le remettre à qui de droit, la paix revenue, le plan détaillé des lieux. Le sans-culotte, devenu suspect, fut décapité sans qu'Antoine Passerose, décédé en Hollande, eût pu s'enquérir du trésor et du document. Celui-ci avait été remis par le condamné, au moment qu'il allait monter dans la charrette, à un prêtre qui l'oublia dans son bréviaire avant de mourir d'indigestion. Le pieux livre passa aux mains des bric-à-brac de la Synagogue et, dès que mon oncle Jacob Meyer s'en fut rendu acquéreur, il songea bien à informer les héritiers légitimes en leur réclamant ce qui lui revenait pour une telle découverte. Mais sa rapacité l'emportant sur sa conscience, il n'en fit rien, voulant être seul possesseur du trésor qui monte, en pièces d'or, en argent, en pierres et perles, à plus de cent mille pistoles. Et il m'a fait jurer sur les éclairs du Sinaï que je n'en réclamerais pas une obole, qu'il ne m'eût couché sur son testament et qu'il ne fût entré dans le sein d'Abraham. Et même, il ne me confiait son secret que par l'absolue nécessité où il était d'exploiter mon génie poétique afin de peser sur vous dont il connaissait les goûts. Il les partage, il est vrai, ceux du moins de la pêche et de la poésie.

— Vos Robinsons basques, dis-je alors avec une amabilité d'autant plus sincère que j'étais au fond touché d'une amende aussi honorable, et que je sentais Eliézer mortifié, sont des plus ravissants caprices que l'on puisse rêver — que dis-je? que vous m'avez fait rêver, apprenez-le maintenant, dans le cimetière d'Ascain.

Le pauvre homme se laissa glisser du lit où il était demeuré assis. Il faisait pitié, paraissait à bout de force après cet aveu.

Il rouvrit la porte, tituba dans le corridor, rentra *à reculons* dans sa chambre où, sans ajouter un mot, les yeux fixes, il se déshabilla et se recoucha.

Ce n'est qu'alors que je compris qu'Eliézer était un hystérique somnambule, qui disait la vérité en dormant, et qu'il venait d'être victime d'une de ces crises que le plus grand ancêtre de Freud affirme se produire chez certains sujets, après l'absorption d'écrevisses qui les forcent de marcher comme elles.

LES FIANÇAILLES DE ROLAND ET D'AUDE

Le lendemain matin, à l'heure du café au lait, je compris qu'Eliézer, inconscient du phénomène nocturne dont il avait été victime, avait récupéré vis-à-vis de moi toute sa discrète mais arrogante supériorité.

Je jubilais en moi-même de me trouver en possession du secret de l'oncle et du neveu, sans que ni l'un ni l'autre s'en doutât. Leur farce intéressée se retournait contre eux. J'avais, pour moi, tout à coup, ce que l'on pourrait nommer : les rieurs de l'invisible.

Par malice, et sachant bien ce qui me restait à faire, j'exagérai l'intérêt que j'avais pris au duo d'amour des Robinsons basques, je réclamai de connaître la suite de la légende, j'allai jusqu'à prétendre que la lecture donnée devant les grottes d'Isturitz ne m'avait point permis, la précédente nuit, de fermer les paupières. Je surpris, d'Eliézer à Jacob, des signes d'intelligence qui signifiaient : « Nous le tenons! »

Le premier de ces faquins, redoublant d'audace, me donna lieu d'espérer qu'il m'accorderait la faveur d'un nouveau chant qui célébrait un repas, dans une forêt des Aldudes, auquel auraient pris part Charlemagne, et Roland. Duquel chant il résultait que la fiancée de ce dernier, la belle Aude, n'aurait été qu'une Robinsonne du nom d'Alba, inhumée dans les grottes d'Isturitz.

On me tenait décidément pour un parfait idiot. Mais je me demandai dans quel but Eliézer semblait m'inviter à faire exécuter des fouilles dans le souterrain alors que son oncle avait tout intérêt à les pratiquer seul avec lui. Je compris assez vite qu'il en agissait avec une prévoyance fort habile : il ne voulait point que je m'étonnasse, s'il me prenait fantaisie d'aller quelque jour les observer dans leurs travaux, de les voir remuer le sol en divers endroits pour y rechercher, soi-disant, les tuniques nuptiales ou la momie de la belle Aude : en réalité pour mettre la main sur le trésor, quand ils se sauraient bien solitaires.

Donc je feignis de souhaiter avec ardeur qu'Eliézer me lût le nouveau passage lyrique, dont il remit la déclamation à quinzaine, évidemment pour la raison bien simple qu'il fallait qu'il le composât. Oncle, et neveu parurent tellement ravis de me voir dans cette disposition que, lorsqu'ils remontèrent en voiture pour rejoindre Bayonne, Jacob Meyer, en guise d'au revoir, fit le geste de se servir d'une clef. Je lui répondis par le plus prometteur des sourires.

Mais sitôt qu'ils eurent décampé, je n'hésitai point.

Je sellai un petit cheval et, en moins de temps qu'il ne faut pour l'écrire, je me retrouvai devant les grottes d'Isturitz et, aussitôt, chez Salbaya.

— Mon ami, dis-je à celui-ci, vous êtes un butor mais l'homme le plus honnête que je sache. Vous possédez l'une des clefs du souterrain, moi l'autre, et nous sommes autorisés à y pénétrer. Je sais que vous feriez un très mauvais parti à quiconque tenterait de violer la consigne de M. Passerose. Mais, en supposant même que vous veilliez jour et nuit pour les en empêcher, apprenez que de très habiles malandrins qui guettent une occasion de retirer de la grotte un coffre plein d'or et de bijoux et de se l'approprier pourraient bien surprendre votre zèle. Ce trésor fut déposé durant la Révolution par un ancêtre de M. Passerose. Je n'aurai de tranquillité qu'il ne soit en sûreté chez vous en attendant que nous le puissions remettre, avec explications, à un ami qui en disposera selon les lois.

Le cerbère poussa le plus grossier juron du pays basque, fit mine de décrocher son fusil et me dit :

— Je suis sûr, monsieur, que ces voleurs que vous redoutez ne sont autres que ces deux députés qui sont venus ici avec vous.

— Comment! députés? demandai-je.

— Peut-être pas, reprit-il ; mais depuis que j'en ai vu deux pendant que je faisais mon service militaire, je me suis dit que j'en reconnaîtrais toujours l'espèce.

Il ne faut point sonder les arcanes, souvent profondes, du sentiment populaire.

— Eh bien! repris-je pour presser les choses, êtes-vous prêt à me suivre?

— Oui.

— En ce cas veuillez garer mon cheval et prendre des allumettes et des chandelles.

Il mit à l'abri ma monture et, en outre de ce dont je lui avais dit de se munir, il emporta une grosse botte de paille sur son dos.

— Allons! fit-il, mais la grotte est étendue.

— N'ayez crainte : je connais l'emplacement du trésor.

Je me souvenais, au plus juste, des mesures et indications à moi fournies par Eliézer durant son état d'hypnose, et j'avais emporté un décamètre que nous eûmes à peine besoin d'utiliser.

Nous partons, et nous voilà. Feu de paille, d'abord. La gorge m'en cuit encore, si âcre en était la fumée.

Les reflets se propagent, si bien qu'il ne nous faut que trois minutes pour apercevoir, à quelque soixante mètres de l'ouverture de la grotte, un rocher isolé des autres et servant, je l'eusse parié, à recouvrir une excavation. L'on eût dit d'un de ces monolithes, si adroitement modelés par les érosions, qu'une main d'enfant suffit à les faire basculer. Or Salbaya n'avait pas des doigts de rossignol, et, d'une poussée de ses paumes, il envoie le roc rouler à dix pas. Nous nous penchons sur les ténèbres béantes où nous distinguons bientôt, à peu de profondeur, le coffre défoncé, d'un bois pourri par l'humidité d'un siècle, et qui laisse scintiller, à la lueur de nos flambeaux de suif, les métaux, les escarboucles, les diamants et autres pierres des mille et une nuits.

— Je vous attends ici, dis-je à mon homme. Allez jusqu'à chez vous et m'en rapportez une solide corbeille.

Heureux de songer qu'il allait pouvoir donner une marque nouvelle de son dévouement et de sa probité, il part en courant et revient avec un panier convenable.

Je n'ai nulle difficulté à plonger les bras dans cette masse précieuse, je fais jaillir de ce filon, dans une ombre à la Rembrandt, les regards longtemps retenus de ces joyaux prisonniers. Nous emplissons le panier, Salbaya va le vider chez lui, en lieu sûr, revient, le charge à nouveau, repart, et ainsi de suite jusqu'à sept fois. Il ne reste plus dans la fosse que la carcasse vermoulue de la caisse, que nous enlevons aussi, car l'inspiration de ce à quoi je vais l'utiliser m'est soufflée par le génie de la grotte. Il n'a pas fallu trois heures pour que le rocher soit remis en place, la trace de notre passage effacée, la magnifique fortune dans la maison du gardien qui, en découvrant le vaste amphithéâtre de ses mâchoires, prononça :

— Ma joie eût été complète (et il me montrait encore son arme à feu), si je les avais descendus tous les deux.

L'ombre de la colline d'Isturitz s'étendait jusqu'à nous, je songeais à nos ancêtres de l'âge de pierre qui ne furent peut-être pas tous des Robinsons venus d'Asie sur une galère enchantée, mais qui, à fréquenter l'ours des cavernes, en avaient pris quelques usages, à l'espingole près.

Je fis part à M. Passerose, le lendemain, en une longue lettre, de tant de fantastiques péripéties.

La découverte est de trop d'importance, lui mandais-je, pour que vous ne hâtiez point votre retour, calmant ainsi l'impatience qu'ont de vous revoir vos amis. Les ailes bleues et légères des montagnes de Hasparren, de Macaye et d'Isturitz valent bien les coiffes de vos sphinx stupides, dont l'énigme cependant demeure plus difficile à déchiffrer que ne le fut celle de votre grotte. Les fruits de pierre précieuse, d'or et d'argent de ce nouveau verger d'Aladin vous attendent chez ce brave Salbaya.

Je fis part encore à M. Passerose de circonstances qui ne sont pas relatées ici, parce qu'elles n'ont pas trait à cette histoire.

Ma signature apposée, il ne me restait plus qu'à me distraire en m'amusant du prochain, ce qui est le meilleur passe-temps et le plus varié du poète.

Je partis deux jours après pour Toulouse, où les brodeuses sont expertes, et je commandai à l'une d'elles une longue et fine tunique, tout au long de laquelle je fis broder un gigantesque narcisse que voulut bien dessiner pour moi Charles Lacoste lui-même. J'avais écrit aux Meyer que je m'absentais, sans plus, ajoutant toutefois que je n'aspirais qu'à revenir bien vite, plus désireux que jamais d'entendre, d'Eliézer, le repas de Charlemagne au pays basque.

Je crois, terminai-je, que vous finirez l'un et l'autre par charmer la roche d'Isturitz, émules d'Orphée aux enfers.

Lorsque je fus en possession de la tunique nuptiale, qui eût donné à rêver à la plus galante des épouses, je la rangeai dans une armoire familiale qui fleurait la lavande et me promis de l'utiliser à mes desseins.

Mais, avant que de jouer ma pièce, je résolus de m'entraîner à mon rôle en allant ouïr le passage annoncé de la légende ondicolienne.

Je me promettais d'en jouir d'autant plus que la fatigante question ne m'obsédait plus qui me faisait me demander naguère à quel motif obéissaient mes deux Juifs. Le dormeur éveillé m'avait renseigné de telle façon que je ne pouvais plus m'en irriter, puisque je m'étais déjà vengé de lui et de son oncle en leur damant le pion, et le coffre.

Ils me retrouvèrent donc de fort telle humeur. Je n'eus pas assez d'éloges sur le déjeuner qu'ils me servirent. Après un café digne du sultan du Maroc, Charlemagne et Roland entrèrent en scène.

Dois-je attribuer au bien-être que je ressentais en ce moment, ou à plus de justice de ma part, vis-à-vis d'un confrère, le plaisir tout particulier que je pris à cette déclamation? Jamais le déconcertant et funambulesque génie d'Eliézer ne me séduisit davantage, et ce fut avec un soin scrupuleux que je transcrivis le texte du *Repas des Aldudes* qu'après lecture me confia son véritable auteur, comme il avait fait de maints autres passages, la prise de Pampelune par exemple.

Par son contraste même, notre cadre ne manquait pas de poésie, dans une lumière qui, à travers les culs de bouteille des avares croisées de la rue Pontrique, lui donnait la teinte d'un aquarium ; cet établi d'orfèvrerie où scintillaient les outils délicats et les pierres et les montures, et ce fauteuil monumental où trônait le vieux Jacob, tel qu'un roi déchu d'Israël ; Eliézer, plus grave encore que de coutume, tenant dans sa main gauche la traduction qu'il disait avoir faite, et élevant son autre main à plat comme pour commander le silence.

Il semblait avoir conscience de s'être surpassé.

Il lut :

Quand l'Empereur eut tourné sa barbe vers l'Orient, il vint dessus elle un parfum si délicieux qu'il demanda au duc Naimes :

— D'où vient-il?

Et Naimes :

— C'est quand la fiancée de votre neveu Roland se lève que l'aurore a ce parfum de fleur.

Et l'un des barons à l'Empereur :

— N'oubliez pas, sire, que c'est aujourd'hui liesse dans le bois des Aldudes et qu'avant de gagner l'Espagne pour combattre les Sarrazins, Roland veut vous présenter Alba afin que vous bénissiez leurs fiançailles.

— Seigneurs barons, dit Charlemagne, tenez-vous prêts à honorer celle qu'un si aimable comte a choisie dans ce pays.

L'armée se mit sur deux rangs, afin de former la haie, car, déjà, tenant par la main Roland, Alba la Basquaise descendait la montagne des Aldudes dont les sources tumultueuses éparpillaient, au bas, leurs neiges libérées.

La traîne d'Alba était retenue par un nain mauresque, noir comme le diable, et que l'on affirmait être né du commerce d'Apollon avec une Chananéenne.

C'est Olivier qui s'est saisi, dans la forêt, de ce singe grimaçant, l'a offert à son ami Roland qui en a fait don à Alba.

Au pied d'un puy, sous un chêne, se tient Charles. Sa barbe ne cesse de ruisseler dans le vent, telle une oriflamme. Il hoche le chef. Et lui, qui a essuyé tant de chocs, remporté mille victoires sanglantes, et qui en verra bien d'autres puisque demain il va marcher contre Marsile, lui, dont les larmes semblaient à jamais taries, il pleure. Ses larmes sont comme une rosée, car l'amour de la jeunesse porte au cœur du vieillard qui se souvient de la sienne.

Alba, apercevant soudain l'Empereur qui tient les marches, lui sourit. Et ce sourire, tel qu'un rayon qui tombe d'entre les nuages, éclaire toute la vallée qu'il émaille.

Qu'ils sont beaux, ces bois des Aldudes, lorsqu'Alba illumine leurs cimes!

Elle pose son pied sur un caillou tremblant, au-dessus d'une source, et fait signe qu'elle en veut goûter de l'eau.

Toute l'armée se le redit.

Roland emplit son cor d'ivoire et, comme d'un lys qui se déverserait dans une rose, il en appuie le bord incliné sur la lèvre de son amie.

Elle ne sait pas que, bientôt, c'est le même olifant qui recevra la pourpre rosée, échappée des veines rompues du comte.

Et le sourire d'Alba se mêle à l'eau qu'elle boit

Charles dit à ses barons : — Maintenant, je ne connais que la peine que me causent les maudits Sarrazins, et je ne me repose que sur ma selle dure ; quand j'étais jeune, j'ai dormi dans un pareil val, ayant pour oreiller la chevelure de la souveraine.

Mais que ces deux-ci m'émeuvent en me rappelant à moi-même!

Roland s'avance avec Alba dont il a repris la main.

A mesure qu'ils se rapprochent de l'Empereur, elle pâlit.

Elle songe à tout ce qu'on lui a rapporté de Charles : sa piété, son courage inégalable qui fait qu'à Aix les aigles invinciblement attirés planent jour et nuit au-dessus de son palais.

Elle pose sa main libre sur son cœur de tourterelle, baisse la tête, et, tant est lisse et blonde sa chevelure, on dirait que c'est la sœur du soleil qui s'incline.

Elle et Roland se mettent à genoux. L'Empereur leur dit :

— Je suis l'arbre à la rude écorce au pied duquel s'étend la mousse dont les nids sont faits.

Alba répond :

— Sire, vous êtes le chêne qui les protège, et l'on n'ose lever les yeux vers vous de crainte d'être ébloui, tant vous supportez d'orages sans faiblir.

Ainsi s'exprime-t-elle en langue basque, traduite aussitôt par les interprètes.

La table est dressée dans la fraîcheur du bois. Les agneaux, les perdreaux, les coqs de bruyère, les bœufs découpés en quartiers et les vins y abondent. Des jeux basques s'organisent. Filles et garçons vont représenter devant l'Empereur la pastorale qui commémore leur origine.

Voici Ondicola, chef de la race, monté sur un destrier dont la housse est faite de ces dentelles qui évoquent le luxe de l'Asie originelle. Il porte une mitre et un sceptre, symboles de sa puissance. Il s'élève contre sa cour voluptueuse, au moment qu'elle a abordé sur la terre basque, et il lui déclare :

— Il n'est pas bon qu'une race, indigne comme est la vôtre, se perpétue sur ce sol vierge.

Sa cour lui répond :

— Que feras-tu donc de nous, Ondicola?

Et lui :

— Je vous tuerai et je ne laisserai vivre qu'Iguskia et Ithargia.

Et voici que s'avancent les plus beaux adolescents des Aldudes, déguisés en Iguskia et en Ithargia. Ils ne portent d'autres vêtements que celui des pâtres, leur beauté éclate.

Iguskia dit :

— Maintenant tout le monde est mort autour de nous. La mer est refermée. Jusqu'à présent, ô Ithargia, je n'avais pas entendu mon cœur battre. Mais, en portant plus avant mes pas sur ces terres sans habitants, je le sens frissonner comme un nid plein de chansons. Qu'est-ce?

Et Ithargia :

— Il se passe dans mon cœur la même chose que dans le tien : le pays basque bat de l'aile et veut naître.

Ainsi la pastorale se déroule devant l'Empereur. Les bergers, les cultivateurs, les petits industriels naissants y jouent leur rôle. Alba a posé avec amour sa tête sur l'épaule de Roland. Elle ne sait pas que demain, elfe ne le reverra plus. L'empereur les bénit. Et, sur une roche blanche, il y a un aubépin noir de soleil, et seul.

LES ÉTATS-GÉNÉRAUX

Ayant retiré de sa houppelande un mouchoir de soie brodé, si usé qu'il eût pu appartenir au Juif errant, et ayant enlevé ses lunettes, Jacob Meyer pleura.

Cette sorte de broderie, dont le sujet, habilement mené, teinté, se déroulait autour d'une chanson de geste que l'auteur des Robinsons basques avait cru bon d'introduire là tout d'un coup, ne fit que déconcerter davantage mon esprit critique.

Nier le génie très personnel d'Eliézer, malgré le choix, ici, d'un thème rebattu, autant prétendre que ma cousine Eva n'a pas les yeux bleus. Mais quoi! Fallait-il que l'auteur fît entrer pêle-mêle, dans son poème, tout ce qui lui passait et chantait par la tête, et qui se rapportait, de près ou de loin, au pays basque? Et n'aurait-il pas relaté l'enterrement de Roland dans la lune si sa cuisinière, comme celle que j'avais jadis à Saint-Palais, le lui eût narré?

Sans doute ; car dans son genre d'affection hystérique, les étrangetés, les contradictions, les inventions, les lacunes, les mimétismes, les vraisemblances même, s'amalgament, cristallisent en formes très diverses.

Je dis à l'oncle et au neveu que je demeurais sous le charme, que j'étais prêt à leur remettre avant peu la clef des grottes d'Isturitz (à cette nouvelle ils poussèrent ensemble un soupir de soulagement), et l'autorisation, pour eux, que j'attendais, d'un jour à l'autre, de M. Passerose.

J'ajoutai que je désirais auparavant leur rendre tant de gracieuses attentions de leur part et les convier à un déjeuner qui, pour n'avoir pas lieu aux Aldudes, en compagnie de Charlemagne et de Roland, ne les intéresserait pas moins.

Ce sera, fis-je observer à Eliézer, une occasion de mettre en jeu, une fois de plus, vos belles qualités de synthèse, et de retrouver dans le repas que je vous offrirai, et chez les convives, les éléments de l'incomparable régal spirituel que vous venez de me servir.

Voici, messieurs, continuai-je :

Il est un antique usage basque dont ne fait pas mention votre légende, puisqu'elle lui est antérieure, une tradition tout intime à laquelle je voudrais vous initier : *les Etats-généraux du pays basque*, qui n'ont aucune sorte de rapport avec une constitution politique, dont ils s'éloignent par un caractère de franchise et de naturel. Ces *Etats-généraux* consistent en un déjeuner qui groupe annuellement ses élus, tour à tour dans l'une de nos trois provinces, et chez leur président temporaire. Cette assemblée se compose de vingt-cinq membres, choisis parmi les plus marquants de l'*Eskualdunak*. En eux vous pourrez voir revivre les origines ondicoliennes car, ayant l'honneur présentement d'être à leur tête, Je vous convie, messieurs, à titre d'érudits et conservateurs de notre charte, au prochain repas de nos *Etats-généraux* qui siégeront le trente août prochain, dans ma ferme de Garris.

Jacob Meyer et son neveu acceptèrent en me remerciant beaucoup.

Mes *Etats-généraux* n'étaient, en réalité, qu'un repas plantureux que je voulais offrir à certaines personnalités du pays, qui s'étaient employées avec moi pour soutenir la candidature d'un mien cousin royaliste, Bathita Yturbide. Le nombre de mes invitations s'élevait donc à vingt-six.

Cette ripaille, je l'offris dans l'épaisse maison, bien blanchie pour la circonstance, et dont on eût dit les contrevents passés au chocolat, de ma propriété de Garris où, chaque année, j'allais faire l'ouverture de la chasse.

Garris est situé non loin de Saint-Palais où, dès la veille, Jacob et Eliézer étaient descendus à l'hôtel Biracouritz.

La matinée se leva radieuse, stridente de cigales, et l'ombre de mes chênes massifs était, autant que la chaleur, écrasante.

Je fis mes ablutions dans la source du verger où je me promenai quelques temps en bretelles claires, tout réjoui par la perspective de ce groupement de types basques, bien purs, comme les vins que j'allais leur servir, et amusé à l'avance de la morale qu'en tireraient mes Juifs.

Une prudence élémentaire exigeait que je ne les présentasse l'un et l'autre aux *Etats-généraux* que vaguement.

Que je n'omette pas de dire que, pour me conformer à l'esprit du pays, j'avais exclu les femmes, sinon cinq, pour cuisiner et nous servir avec la meilleure grâce du monde. Le cordon bleu avait nom Magnana et ses satellites Maïana, Yuana, Graciousa, Beronikéa.

Deux seulement des membres conviés aux *Etats-généraux* par leur président s'excusèrent.

Les vingt-deux autres, je les vis arriver un peu après midi, dans mon domaine de Khourutçaidia, la plupart en de petits tape-cul les plus inconfortables du monde, et que traînaient des haridelles.

Mais un mélange de bonhomie et d'orgueil national se lisait sur leurs faces.

Plusieurs étaient vêtus ainsi qu'à l'habitude le noble ou le bourgeois basque, avec beaucoup de soin et de propreté, de jaquettes et chaussés de souliers à guêtres.

Quelques vieillards, à barbe aussi blanche que la laine des brebis après l'averse, montraient des joues d'églantine et des yeux bleus, d'un bleu de bourrache.

Certains coiffaient des pailles de Panama, d'autres des canotiers ou de larges chapeaux melons.

Les grands paysans portaient veston et béret, comme les deux pilotaris et le danseur, mais ceux-ci arboraient des bottines jaunes.

Quant aux prêtres, il y en avait deux, l'un curé d'une paroisse infime, mais généreuse envers lui d'agneaux et de haricots, l'autre missionnaire diocésain, âgés mais pleins de vie, de physionomie en relief, autoritaires, brusques et sympathiques. On sentait que, de leurs mains armées de gourdins, ils auraient assommé un taureau du premier coup et que, de leurs énormes pieds enfouis dans des chaloupes de cuir ferrées, ils eussent écrasé des lièvres. Quel contraste entre leur solide et fruste architecture et l'ossature de ces deux mauviettes qui descendirent de leur calèche de louage, les Meyer!

Je présentai ces monteurs de légende, en estropiant légèrement leur nom, ce que me facilitait la langue basque, « Meyera », comme étant des ingénieurs de Bayonne.

J'avais naturellement attribué les places d'honneur à M. le curé d'Aïciritz et au père Bidondoa Ihidoïpé, de Hasparren.

Etaient présents encore Bathita Yturbide, mon cousin et député monarchiste, qui, durant sa législature, d'assez fraîche date il est vrai, et, il est vrai aussi, pour défendre une noble cause, n'avait trouvé qu'un juron navarrais qu'il vaut mieux que je ne rapporte pas ici ;

Etchechoury, conseiller général, grand éleveur de chevaux, esprit averti, mais si plein de son propre pays, que l'idée que l'on pût, dans un poème, raconter que des Basques avaient vidé leurs assiettes jusqu'à les faire miroiter l'enthousiasmait comme d'un chant d'Homère ;

Le comte de Macaye, grand amateur de déjeuners qui, en été, se prolongent dans la fraîcheur des salles ombreuses et dallées, et, en hiver, dans la tiédeur des hautes flammes rousses et crépitantes ; cavalier qui, au retour des foires, interpelle vertement les filles pédestres ;

Pochelu, le juge de paix qui, à l'audience, tirait par les oreilles toute femme qui prétendait avoir raison contre un homme ;

Algalarondo, le médecin, qui prescrivait à ses clients le jus d'herbes de sa prairie, et les saignait à tout propos, avec son rasoir, dans son plat à barbe ;

Oyharçabal, le potard, capable d'avaler sans nausée du boudin cru en l'arrosant de maints cognacs, bitters, vermouths et litres de vins rouges et blancs ;

Bidondo, le notaire, qui gavait des ortolans dans son étude ;

Etchecoin, le maire laboureur, vieux-garçon (carloche est le terme basque), vivant avec ses onze sœurs célibataires (ou moutchourdines), et chez qui l'on se régalait de chipes en sauce et d'une panchetta célèbre ;

Mendigaray, son collègue, qui avait tenu et gagné le pari de manger en un quart d'heure deux énormes foies de canard y compris leur graisse chaude ;

Etcheto, un rougeaud, fabricant de chocolat ;

Haramboure l'Américain, enrichi, à Buenos-Ayres, dans le commerce du cuir, et retiré à Hasparren ; Larronde, le boulanger, qui buvait d'un bouillon de corbeaux, enterrés préalablement ;

Mercapide, le boucher, qui vendait aux pêcheurs les asticots de sa viande d'été, et ouvrait, à la même saison, un établissement de bains ; sa femme fabriquait des meringues ;

Hirigoyen, l'épicier, qui, lorsqu'il pesait du fromage, en rognait l'excédent qu'il dégustait en lamelles devant l'acheteur ; mais quelle bonne odeur de café grillé dans sa boutique!

Bordato, l'ancien marin de Terre-Neuve, qui représentait une compagnie d'assurances : « la Céleste » ;

Bordachoury, le chasseur qui avait pris au piège à loup le lieutenant de gendarmerie de Mauléon ;

Etchégaray, le contrebandier d'Ainhoa, et pilotari, dont les bidons d'alcool avaient été troués par les balles des douaniers ;

Salagoïty, pilotari également, champion du monde à qui les Anglaises mendiaient ses vieilles savates et sa culotte plus blanche qu'une maison basque en août. Sur le carnet de l'une de ses admiratrices, il avait écrit : « Amia nu, je n'ai pas peur de personne » ;

Pitphariatéguy, de Barcus, fils d'un amiral, mais qui, au grand désespoir de la marine et des siens, se mêlait aux baladins, et, en costume éclatant, faisait valser et pirouetter son cheval de bois ;

Enfin Paul Dupont, rentier, qui, malgré un nom si peu basque, l'était à lui seul plus que tous les autres convives ensemble, mais on ne saurait dire pourquoi : c'est une impression indéfinissable, une manière de se montrer réservé après les libations nombreuses qu'il décidait à toute occasion, avec le comte de Macaye et quelques hobereaux de la même sorte.

L'abbé Harriague, dans son livre sur la noblesse basque, démontre que les ancêtres maternels de Paul Dupont prirent part à la croisade avec saint Louis et Thibaut II.

Il ne restait plus à leur descendant d'autre héroïsme que la chasse au lièvre et à la palombe.

Et je pense que voilà des *Etats-généraux*!

Le gros et rubicond doyen d'Aïciritz récita le *Benedicite*, après quoi le repas commença dans une sorte de silence que n'interrompaient que les humements provoqués par le potage.

Tous les Basques avaient la serviette passée au col, et même l'un d'eux portait la sienne comme un enfant, de manière qu'elle imite sur la nuque deux oreilles de lapin.

Tandis que Jacob Meyer et son neveu prenaient des cachets, les autres invités et moi-même ne songions qu'à remplir notre panse, et à ravir notre odorat de ce nectar qui unissait à la saveur la plus délicate et la plus onctueuse tout l'arome des potagers.

Ma joie était grande d'entendre, à mesure que baissait le niveau du consommé, l'argenterie taper du cul sur les assiettes, et de voir mes hôtes, qui n'en voulaient perdre goutte, les soulever en les inclinant.

La gourmandise a, dès l'abord, toutes les apparences de la timidité.

C'est qu'un tel potage est rare. Il contient la sève même des graines, convertie en une graisse fine qui vous regarde avec des œils d'or, il a la couleur rousse des volailles qui font se battre entre eux les coqs, et il est brûlant comme le soleil des moissons.

Mon ordinaire était d'un vin d'Irouléguy, âpre comme une nèfle, un peu pétillant, et qui satisfait, en les râpant, les langues et les gosiers. Les Meyer seuls le mouillèrent.

On attendait qu'un convive élevât la voix pour que la conversation, qui ne s'ébauchait qu'en sourdine, prît une tournure générale. Le docteur Algalarondo ouvrit le feu en racontant que, la veille au soir, un maquignon d'Uhart-Mixe avait porté un tel coup à un Bohémien qu'il lui avait fallu beaucoup d'adresse pour extraire du crâne la douille de cuivre éclatée du makhila.

— Un sacripant de moins! s'écria le chocolatier Etcheto, qui redoutait les malandrins.

Ces vers de la légende basque me chantèrent :

Il tient serré son makhila flexible

Dont on voit bien qu'un seul coup abattrait

Le Sarrazin avec son minaret.

— Messieurs, interrogea doucement Eliézer, quelle origine pensez-vous que l'on puisse assigner au Bohémien dont vous parlez? Ne serait-ce pas un ancien Maure?

Le père Bidondoa Ihidoïpé, qui ne manquait jamais de risquer un de ces lamentables jeux de mots dont s'enorgueillissent, hélas! les gens d'Eglise, prononça :

— Il aurait pu rester dans sa tombe!

Un mutisme incompréhensif accueillit ce trait d'esprit. Mais lorsque Etchechoury, le conseiller général, l'eut traduit en basque et en français, et fait entendre que le calembour portait sur « maure » et « mort », l'éclat de rire fut homérique, et le père Bidondoa Ihidoïpé sourit de satisfaction.

Bathita Yturbide alors déclara en se servant copieusement de poule-au-pot, de farce, et d'un pimenton rouge comme une course aux taureaux, qu'Edouard Drumont, qu'il avait tout récemment rencontré à la buvette de la Chambre des députés, l'avait assuré que les Bohémiens de Saint-Palais ne sont qu'une lignée d'anciens Juifs, échappés jadis d'un bagne du pays basque.

Mon cousin fit part bien innocemment de cette opinion, mais les deux Meyer en piquèrent un nez dans leurs assiettes.

— Je reconnais bien l'idée fixe de Drumont, dis-je, pour amortir le choc.

— Moi, dit Mercapide, le boucher et baigneur, je n'ai vu ni Juif ni nègre, mais je sais bien que si je rencontrais l'un ou l'autre je lui fourrerais mon pied quelque part.

En écoutant ces paroles si candides, comment n'aurais-je pas songé à cette marche vers la race maudite, dans Pampelune, que peu de semaines auparavant Eliézer avait évoquée :

Auger qui sort de Mauléon la terre

Contre la gent est si fort en colère

Que l'on croirait qu'il porte le tonnerre.

Je détournai, heureusement, la conversation ; Hirigoyen, l'épicier, me demanda si, réellement, la soupe dite « tortue » qui était inscrite au menu d'une noce à laquelle il venait d'assister à Biarritz, était bien de cet animal dont il avait vu un exemplaire dans un jardin. Je le dissuadai.

Haramboure l'Américain prit alors la parole :

— Au Mexique, nous mangions d'excellent pot-au-feu de vraie tortue.

— La fait-on bouillir avec sa tuile sur le dos? questionna Hirigoyen.

— Non, fit Haramboure, on ouvre la bête à coup de hache.

— Vous êtes un peu pâle, remarquai-je à voix basse, en me penchant vers Eliézer.

— Ce n'est rien. Le laxatif que j'ai pris aura raison d'un léger trouble. Vos crus sont un peu forts.

— Ne me parlez plus de toutes ces saletés, reprit Paul Dupont dont la pensée allait au train de la tortue. Je voulus, il y a trente ans, goûter une huître et je crus que j'allais rendre toute la mer.

Graciousa et Beronikéa apportèrent les choux farcis, pressés et flanqués de tranches d'andouille à vous emporter la bouche.

— Quelle est la viande que vous préférez? demanda le comte de Macaye à Paul Dupont.

— En fait de chair, répondit textuellement celui-ci, en fait de chair, je mangerais tout. Mais je déteste le poisson, excepté les truites.

— Vous serez servi à souhait tout à l'heure, monsieur Dupont, annonçai-je avec la fierté du maître de céans.

Les dialogues varièrent :

— Il faudrait, déclara Mendigaray, le grand mangeur, maire d'Amorots, qui était vraiment imposant de calme et de dignité, que l'on nous laissât vivre en paix dans notre province. Pourquoi les Français veulent-ils nous obliger à leur payer l'impôt?

— Comment, insinua Jacob Meyer, l'Etat pourrait-il subvenir à ses lourdes charges si le contribuable se récuse et ne remplit pas son devoir de citoyen?

Avec le même flegme, et le même œil bleu, si je peux dire, Mendigaray repartit :

— Je m'en fous, et vous aussi vous vous en foutez.

— Moi, dit Etcheto, voici comme je raisonne : ma sœur fabrique de l'eau de noix avec un sirop et de l'eau-de-vie. Si j'achète celle-ci chez un épicier ou chez le pharmacien, je la paie cinq fois plus que si je me la procure chez un contrebandier.

— Vous portez atteinte à l'Etat, appuya sévèrement Eliézer qui soutenait son oncle.

— Qu'est-ce que l'Etat? demanda Etcheto.

L'énorme curé d'Aïciritz, qui avait du bon sens, et parfois de l'esprit, répliqua :

— L'Etat, c'est d'une autre eau-de-vie.

Cette définition rendit rêveurs ceux qui l'avaient, ou non, comprise.

Les truites frites furent servies simplement avec des citrons.

— Pour vous, monsieur Dupont, dis-je.

— Merci! Elles sont d'une jolie robe, et doivent être à point. Vraiment, il n'est de bon poisson que la truite. J'admets encore les anguilles en matelote.

— D'anguilles, raconta Larronde, l'homme au bouillon de corbeau, nous en avons pris beaucoup à Amendeuch, cette année. Il n'est que d'avoir un couteau bien aiguisé, à se mettre à califourchon au-dessus d'un ruisseau, à bien épier au fond, et si l'on en voit une, de la décapiter lestement.

— Sapristi, s'écria Eliézer qui paraissait plutôt nerveux, mais… mais…

— Ce sont les descendants des guerriers de Pampelune, lui dis-je en souriant.

— Il est vrai, fit-il après un léger effort pour se remémorer. Et il se tut.

— Mes amis, proposai-je, acclamons Bordachoury?

On venait de servir les lièvres.

— Où les as-tu tués? demanda au vieux braconnier le comte de Macaye, dont une rose ornait la boutonnière et qui buvait à plein bord les vins d'Irouléguy, de Bordeaux et de Bourgogne.

— Deux à Luxe-Sumberraute, monsieur le comte, le troisième, à Sala.

— Et tu n'as plus pris de lieutenant de gendarmerie au piège?

— Il en fut quitte pour une mâchure à la jambe, et attendit honteusement jusqu'à ce qu'on l'en retirât. Un Basque n'agit pas ainsi! Il était étranger.

Je me penchai vers Eliézer et lui expliquai :

— Bordachoury fait allusion à un braconnier de Mendionde qui, pris à un horrible traquenard, n'hésita point à achever de s'arracher le pied avec son couteau, pour s'enfuir.

A ce moment, sans doute parce que ce trait, d'un caractère un peu trop basque, lui porta au cœur, Eliézer s'évanouit sur sa chaise.

Les prêtres qui venaient de se servir chacun une montagne de civet, agrémenté de persil cru, dont l'un avait à sa bouche une branche bougeante, n'eurent pas l'air de penser que leur commensal en fût à l'article de la mort. Ils n'en perdirent pas une bouchée. Le père Bidondoa Ihidoïpé s'écria :

— Gaïchua!

Le bon apôtre ne plaignait, par ce mot intraduisible, que la délicatesse d'estomac d'Eliézer. Il ne concevait point, étant natif de Larceveau, que les brutales et sanglantes conversations qui assaisonnaient ce repas pussent le moins du monde réagir sur un organisme délicat.

Jacob Meyer, fort ému, s'était levé pour étendre son neveu, lui frictionner la poitrine, lui cingler la paume des mains.

— Avez-vous de l'éther? me demanda-t-il.

Je n'en avais pas.

Le contrebandier Etchégaray dit :

— J'ai apporté dans mon chahakoa un échantillon d'un tord-boyau espagnol qui réveillerait un mort. Il n'y a qu'à desserrer les dents de ce monsieur avec sa fourchette, et à lui faire avaler une gorgée en pressant le cuir de l'outre. Elle pisse très bien.

Je compris qu'un propos et un remède aussi grossiers révoltaient Jacob Meyer.

— Je ne peux admettre, déclara-t-il, ces mœurs de Papou!

Bien heureusement fus-je seul, pas même les prêtres exceptés, à entendre ce dernier mot. Je m'opposai de mon côté à ce que fût utilisée la vertu de l'eau de feu, bien qu'Etchégaray ne comprît pas cette répugnance.

Eliézer déjà revenait à lui lorsqu'on nous servit le filet de vache et la salade. Il insista, car il avait de l'énergie, pour se rasseoir à table où je lui fis servir une infusion brûlante qui le ragaillardit tout à fait.

Je regrettais beaucoup d'avoir embarqué l'oncle et le neveu dans une pareille galère, avec des passagers si frustes, qui, pour n'être pas moins, bien au contraire, de la race d'Ondicola, n'avaient rien conservé des raffinements en usage sur la caravelle enchantée : l'*Eskualdunak*.

Tandis que se succédaient les bouteilles, deux koblaris se levèrent tour à tour, Etchechoury, l'éleveur de chevaux, conseiller général, et le pilotari contrebandier, Etchégaray.

ETCHECHOURY

Ma joie est de vous rencontrer ici, Etchégaray.

Le repas que nous prenons nourrit mieux

Que le vent qui souffle à la frontière,

Et il vaut mieux contempler votre visage épanoui

Que les culottes de la douane.

ETCHEGARAY

Vous me lancez la balle. Je vous la renverrai,

Car n'oubliez pas que je fus champion du monde

Avec les Gascoïna, les Goroztiague.

Et, pour ce métier, mieux vaut avoir la minceur du peuplier

Que l'obésité de l'outre, fût-elle emplie du meilleur vin de Catalogne.

ETCHECHOURY

Tu fais allusion à ma rotondité.

Pourrais-je, si je n'avais pas d'embonpoint,

Etaler aussi largement

Ma chaîne de montre aux yeux du peuple

Quand celui-ci se presse en foule

Aux rebots, quand tu joues à Pasaka?

ETCHEGARAY

Vous êtes une figure connue.

Dès que la première pelote est lancée,

On vous aperçoit assis sur le mur,

Tenant d'une main un chistéra,

Et, de l'autre, une ombrelle que vous faites tourner

Comme une auréole au-dessus de votre tête.

Seriez-vous déjà un saint?

EICHECHOURY

J'espère, du moins, de le devenir

A force de dîner dans la compagnie des prêtres,

C'est le cas de dire que, lorsqu'on a mangé avec eux,

Tous les plats sont bien curés.

Une triple salve d'applaudissements salua ce jeu de mots que je n'ai pas à traduire, car l'éleveur de chevaux le commit en français.

Personnalité singulière que cet Etchechoury, parfaitement conscient de cette vulgarité de langage et d'attitude, entretenue par lui à cause de son amour de la tradition.

Aucun koblari ne l'égalait dans ce terre-à-terre de la ripaille qui rejoint, plus qu'un Eliézer ne le pense, le génie homérique.

Dirai-je qu'à mon goût ce court dialogue égale, par sa grosse simplicité, les plus belles pièces de l'antique?

Mais il n'est pas que cette veine en pays eskuarien. Et Haramboure, l'Américain enrichi retiré à Hasparren, nous montra quelle délicatesse de sentiment peut s'allier à cette lourde joie de vivre.

En effet, il chanta :

O ma bien-aimée, tu m'as dit :

— Le plus beau des arbres c'est le hêtre

A cause de son ombre.

— Voici le plus noir de la forêt,

T'ai-je répondu. Je te le donne,

Fais-y notre nid.

— Le saule est plus gracieux que le hêtre,

As-tu repris aussitôt, car il pleure.

— O ma bien-aimée,

Tant de sanglots sont sortis de mon cœur,

Qu'il y avait un étang à mes pieds

Où se reflétait le saule.

Mais tu as tout à coup déclaré ;

— Au saule, je préfère le tilleul odorant

Où chante le rossignol.

Alors, ô ma bien-aimée,

J'ai acheté du parfum à une Bohémienne

Habile aux philtres qui séduisent ;

Et, pour ressembler tout à fait au tilleul,

J'ai mis un rossignol dans mon cœur,

Et il te chante ce chant.

Mais déjà, ô cruelle, je t'entends me dire :

— Le plus beau des arbres, c'est le chêne…

— S'il en est ainsi, ô ma bien-aimée,

Fais, avec son bois, mon cercueil.

— Comment, me demanda Eliézer dans l'admiration (et il y avait de quoi), pouvez-vous concevoir un peuple à la fois si barbare et si raffiné?

— Eh quoi! remarquai-je, Cythère n'est-elle ardue et montagneuse, hantée des seuls chevriers, et dont pourtant Vénus est sortie… Et la légende basque?…

Lorsque prirent fin ces singulières assises des *Etats-généraux* basques, la soirée était déjà avancée.

J'entendis un à un s'égrener les grelots des calèches, des tape-cul et des coucous, remportant aux quatre coins de l'horizon mes pittoresques convives dont certains se détachaient jusqu'au torse sur un ciel couleur d'omelette, de sauce tomate et de vin d'Irouléguy.

MA COUSINE ÉVA, UN TRÉSOR

Ma cousine Eva, de Bayonne, Basquaise pure, comptait dix-neuf ans.

D'une forme joliment ronde, la joue rose, j'ai dit ailleurs que ses yeux étaient bleus. Elle possédait ce caractère épanoui qu'ont les petites filles sans dot.

Elle était née d'un officier du génie et, demeurée seule dès son bas âge avec sa mère, elle affectait des allures un peu trop libres dans le monde. C'est que les mamans, et je n'ai pas le courage de les en trop blâmer, lancent plutôt qu'elles ne retiennent une fille sans fortune à la conquête d'improbables maris.

Eva n'avait point à employer d'artifices pour connaître le succès, mais, hélas! comme il arrive aux plus charmantes de son espèce, elle voyait tour à tour ceux qui l'eussent volontiers épousée se décider plutôt pour des laiderons d'or.

De là, et bien qu'elle fût si jeune, une sorte de philosophie bonne enfant, faite d'un peu de scepticisme et de beaucoup de gaieté.

Eva jouait parfaitement la comédie, et je l'avais amenée, par exemple, dans une comédie d'Alfred de Musset que je lui avais fait répéter, à mettre en délire son auditoire.

Eva était Eva. Et, quand on nommait Eva, les vieux et jeunes salonniers, que Forain stigmatisait alors, se prenaient à sourire de la manière la plus admirative et la plus bébête.

J'invitais souvent Eva et sa mère à villégiaturer chez moi, en assez nombreuse compagnie.

Sans grand luxe, on se distrayait beaucoup. Les promenades à âne dans la vallée, des parties de pêche à la ligne sont tout ce qu'il y a de mieux. Nous composions aussi des charades animées où Eva excellait.

Un soir que nous nous livrions à cet amusement, je me plus à tirer de mon armoire la fameuse tunique nuptiale que j'avais fait couper et broder à Toulouse, et je priai Eva de s'en revêtir dans la coulisse de notre petite scène improvisée.

Ce fut un ravissement.

Si elle n'avait été ma cousine, je crois que je l'eusse demandée en mariage ce soir-là, tant cette vieille dentelle, parcourue par ce long narcisse, lui seyait.

Eva et ses compagnes se montrèrent fort curieuses de connaître l'origine de ce travail de fée. Et je leur appris, ce qui était la vérité, que je m'étais passé la coûteuse fantaisie de le faire exécuter à Toulouse, par des spécialistes hors de pair, sur un modèle proposé par une légende basque.

Ces petites se contentèrent d'admirer ce chef-d'œuvre, sans autrement se soucier de contrôler si, comme je le leur avais dit, les toutes premières Basquaises comparaissaient dans ce costume devant leurs époux enivrés.

Dans la huitaine qui suivit son exhibition, la tunique nuptiale fut à l'ordre du jour.

Et Eva, qui était la meilleure fille du monde, la plus franche et la plus sans façon, me prit à part pour me dire :

— Mon cousin, tu commets une vilaine action en cachant une aussi merveilleuse jupe dans un meuble, car tu peux bien penser que, si je me montrais une seule fois à Biarritz, l'ayant mise, tous mes admirateurs tomberaient à genoux en implorant ma main.

— Il est vrai, Eva, qu'en te voyant ainsi déguisée pour la charade, je me disais que la beauté des premières Basquaises, célébrée par la légende, eût pâli devant la tienne.

Elle éclata franchement de rire :

— Il se peut, après tout, fit-elle. Me faut-il donc insister beaucoup pour que je puisse me produire dans cet appareil devant un public, plus intéressant pour moi que celui que tu as convié ici?

— Je te remercie, dis-je sans me fâcher, de faire un si grand cas de mes hôtes.

— J'entends par « intéressant », reprit-elle, ce qui peut conduire au mariage une jeune fille.

— A la bonne heure! Voilà qui est net.

— Tu ne veux cependant point que je tourne mal?

— Non, car tu es trop bien faite pour cela.

— En ce cas, répondit-elle avec une délicieuse ellipse, remets-moi ce que je te demande.

— La tunique?

— Oui.

— Eh bien, soit ; mais à une condition.

— Celle que tu voudras.

— Eh bien! Eva, voici. J'ai résolu de monter, pour la fin de l'automne, aux grottes d'Isturitz, un spectacle impressionnant auquel je veux convier tout ce que notre pays compte de plus distingué. Il s'agit de faire représenter, de cette légende basque dont je t'ai parlé, l'acte qui m'engagea à confier l'exécution du vêtement à une vraie artiste. Tu es ma principale vedette. Tu joues le rôle d'une Robinsonne basque. Tu rends tous les hommes qui te verront ainsi fous de toi. Tu choisis qui t'agréera le mieux. Et je mets dans ta corbeille la tunique nuptiale.

— Tu es un bijou de poète, et me fais regretter presque de n'être que ta cousine, et de ne pouvoir t'aimer qu'en partie!

— Ce n'est pas tout, repris-je sans relever sa malice : il faudra t'exercer, et, dans le lieu même que j'ai choisi, à Isturitz.

— Cent fois plutôt qu'une, puisque la dentelle est à moi!

LA RÉPÉTITION GÉNÉRALE

Et, par un doux après-midi, nous allâmes donc, quelques jeunes fous et folles, à la grotte dont le cerbère ne savait plus quelles attentions délicates me témoigner depuis que je lui avais donné l'insigne marque de confiance de déposer chez lui le trésor ; et tantôt c'était d'un pot de miel ou d'un lièvre, ou de truites, ou de ces écrevisses dont l'ingestion avait déterminé chez Eliézer un accès de franchise somnambulique.

Ce jour là, Salbaya mit à la disposition de notre joyeuse bande ses meilleurs fruits, son fromage frais, ses bottes de paille sèches, renforcées de toutes ses chandelles, pour en illuminer jusqu'aux plus sombres recoins de la crypte.

Nous nous amusâmes fort, en esquissant la représentation de la Légende dans ce même abri naturel dont la clémence avait jadis protégé Iguskia et Ithargia.

Eva n'était plus qu'un éblouissant éclat de rire.

Mais, lorsque je la fis se coucher, tant soit peu en chien de fusil, dans la fosse qui avait renfermé un trésor moins beau qu'elle, et dont il fallait qu'elle ressurgît, après un sommeil de tant de siècles, revêtue de la robe nuptiale, et telle qu'une Robinsonne ou Belle au Bois dormant, on ne savait plus s'il fallait ou non garder son sérieux.

— Le rôle que tu me fais jouer là est un peu lugubre? fit-elle. Tu as l'air de mesurer mon caveau avant que je sois morte. Rappelle-toi que je n'ai nulle envie de prendre mon rôle à la lettre.

— Il faudra, ordonnai-je à Salbaya qui restait bouche bée devant ce qu'il devait prendre pour une opération de sorcellerie, mais qui tolérait décidément, sans le moindre murmure, mes faits et gestes les plus extravagants, que vous agrandissiez un peu cette ouverture avant d'y replacer le rocher que vous venez d'ôter.

— Le fait est, fit Eva, que si ce trou doit devenir mon lit nuptial je n'y serai pas au large.

Elle ne croyait pas si bien dire.

Tous les préparatifs qui devaient servir mon plan s'enchaînaient à merveille, le plus simplement du monde, pour confondre Jacob Meyer et son neveu.

Lorsque je les revis chez eux, je leur déclarai que la clef était à leur disposition, mais que M. Passerose m'avait déclaré ne consentir à la leur livrer que s'ils la remettaient chaque soir au gardien ou à moi-même.

— Croyez, messieurs, leur dis-je, que je ne demande à conduire cette affaire qu'à la plus grande satisfaction de tous, pour vous obliger le mieux possible, et ne déplaire en rien à mon ami M. Passerose. Tout se peut concilier. Il est donc convenu que, d'aujourd'hui en quinze, la clef sera en votre possession, de dix heures du matin à six heures du soir. J'ai donné ordre à Salbaya, qui vous la remettra, de vous laisser seuls à vos fouilles. Quant à moi, vous m'excuserez de ne pouvoir me joindre à vous, et m'associer à vos savantes recherches. Je m'absenterai à ce moment.

Je surpris un signe d'intelligence satisfait dans le double clin d'œil qu'échangèrent Jacob et Eliézer.

Il ne me restait plus qu'à mobiliser ma cousine Eva au moment opportun.

La veille du jour où la clef devait être prêtée à mes Juifs (je ne doutais pas qu'ils ne voulussent se rendre à la grotte dès la première minute) je leur fis tenir ce mot :

« Demain, à dix heures précises, Salbaya vous confiera la clef. »

Il n'avait pas été difficile d'obtenir d'Eva et de sa mère qu'elles revinssent passer une quinzaine dans ma villa, d'où l'on sait qu'en peu de temps on peut gagner les grottes d'Isturitz.

La belle enfant était toujours bonne, aussi heureuse de vivre, encore qu'elle eût pu avoir alors quelque sujet de souci, ma tante ayant reçu, deux jours avant leur arrivée, la visite de l'huissier.

Ce n'est point que cette pauvre femme administrât mal sa fortune, mais elle n'en avait point. J'avais gros cœur de cette situation. Je les aidais bien dans quelque mesure, mais pas autant que je l'eusse désiré. J'ai toujours eu un faible pour la Bohême innocente, et ma tante était quelque peu de ce pays.

Quant à sa fille, je l'eusse sans doute épousée si, comme je l'ai expliqué, notre genre d'affection mutuelle, et nos jeux d'enfance qui se continuaient en somme dans les grottes, n'avaient fait d'elle ma sœur et, de moi, son frère.

Mais elle était si jolie que je ne désespérais pas qu'elle sauvât, par un mariage, une situation si obérée. Son alerte démarche de Basquaise, aux pieds pointus, chaussés de blanches sandales, semblait chanter toujours : « Suivez-moi! »

Je m'imaginais très bien de la sorte une descendante immédiate d'Iguskia et d'Ithargia, et je savais qu'elle jouerait à ravir, pour mes fins vengeresses, devant Jacob et Eliézer, son rôle de Robinsonne de la Légende.

LE TRIOMPHE D'ÉVA

La veille du jour qu'elle devait tenir le délicieux rôle que je lui destinais :

— Eva, dis-je, nous irons demain à Isturitz où tu voudras bien mettre en œuvre mes moindres instructions. Il te suffira de passer la tunique, elle te sied à ravir, de te bien attifer et coiffer, et de te dissimuler quelques minutes dans la fosse de la grotte, comme l'autre jour, jusqu'à ce que deux originaux t'y découvrent, à leur grande surprise.

— De quels originaux parles-tu?

— Peu importe ; tu n'as rien à redouter de leur présence ; et, d'ailleurs, je me tiendrai caché non loin de toi, tandis que tu rempliras cet office d'enterrée.

— Tu mets bien du mystère à ton jeu : ce n'est pas dans ton habitude. Hais puisque le prix à remporter, si je me rends à tes caprices, est cette robe de fée, sache que je suis à tes ordres.

— Il te suffira, continuai-je, dès que tu te verras découverte — comme on joue au cache-cache — de te redresser, soudain et, tel qu'un fantôme gracieux, de gagner à pas lents et en silence la sortie. De là, en quelques bonds, tu seras chez Salbaya, hors d'atteinte, jusqu'à ce que je te rejoigne.

L'action fut menée avec un art parfait. Sous prétexte de partie de pêche, Eva et moi gagnâmes à l'aurore les grottes d'Isturitz et, avant dix heures, elle revêtit la tunique légendaire, peu de temps avant que le cerbère accompagnât, au même lieu, les Meyer empressés.

Elle s'établit, sans froisser sa dentelle, dans la cachette où reposait naguère le trésor. Le rocher qui en fermait l'entrée avait été, sur mon avis, mis de côté par Salbaya. Quant à moi, le diable, avant même que la chandelle fût morte, n'aurait su me distinguer des stalactites environnantes.

Voici Jacob et Eliézer.

J'entends gémir la grille, et que Salbaya remporte sa clef à lui, sans refermer la serrure, et, tout à fait comme je lui en avais intimé l'ordre, leur laissant croire qu'ils sont seuls tous les deux.

Une lampe des plus perfectionnées, de spéléologue sans doute, qu'allume Eliézer, transforme en palais radieux cette annexe de l'enfer.

La luxuriante forêt de pierre apparaît, qui semble recouverte de rosée par le scintillement des prismes naturels. Mais les deux coquins n'ont cure de cette métamorphose souterraine. Ils déroulent leur décamètre ; la route s'ouvre librement devant eux, avec, au bout pensent-ils, l'objet de leur longue convoitise.

— C'est ici! prononcent-ils bientôt sans hésiter.

— Ah! laisse-moi le premier mettre la main dessus! s'écrie Jacob Meyer d'une voix rendue gutturale par la cupidité.

Et, contournant le couvercle rocheux, il projette dans le trou un faisceau de rayons.

Aussitôt, comme enveloppée d'une lueur d'aube où s'épanouit le narcisse, surgit Eva que je ne vois que de profil.

Mais qu'elle est belle!

Elle sourit. Elle fait, de ses bras ronds et de ses mains unies sous sa nuque, un arc charmant, et elle bâille comme si elle sortait d'un profond sommeil, montrant des dents qui valent toutes les perles du trésor de la famille Passerose.

Et, sous les yeux des deux Juifs pétrifiés comme les végétaux de la grotte, elle s'en va.

Je suis ravi de la perfection de son jeu et, tandis qu'il me faut réprimer mon envie d'applaudir, je suis le témoin de ce dialogue invraisemblable :

— Eliézer?

— Mon oncle?

— Est-ce vrai?

— Suis-je somnambule?

— Suis-je somnambule?

— Vous l'êtes.

— Tu l'es.

— L'avez-vous vue, mon oncle?

— L'as-tu vue, Eliézer?

— C'est une fille d'Ithargia.

— C'est une fille d'Ithargia.

— Elle portait la tunique nuptiale.

— Le narcisse de la légende montait comme un jet d'eau jusqu'à son sein neigeux.

— Mais puisque nous avons inventé la légende?

— Alors nous sommes fous?

— Sommes-nous fous alors?

Mais tout à coup Jacob Meyer se ressaisit et s'écria :

— Nous sommes volés!

Et l'écho de la grotte répéta cette phrase.

Ils ne furent pas longs à décamper comme des péteux, et n'allèrent point demander des explications sur leur mésaventure à Salbaya, chez qui bientôt je rejoignis Eva.

La pauvre petite, avec qui je déjeunai gaiement en lui faisant part, cette fois, sans en rien réserver, du mot de l'énigme, avait bien gagné sa chemise de noces! Je souhaitais vivement de lui faire aussi don de l'époux. Ce qui arriva comme on va le voir.

LA CONCLUSION INATTENDUE

Monsieur, commença Eliézer en s'asseyant dans le fauteuil que je lui avançai, lorsqu'il vint me rendre visite deux mois après la farce qu'Eva et moi lui avions si bien jouée, mon oncle et moi nous sommes deux Juifs.

Je reconnus la même phrase que le même Eliézer avait prononcée durant son accès de somnambulisme, après avoir mangé des écrevisses, en cette nuit qu'il m'avait tant effrayé.

Mais, cette fois, il veillait, et je ressentais qu'il était on ne peut plus conscient de lui-même.

Cependant il continuait à me révéler ces mêmes choses qu'il m'avait confessées, à son insu, durant son sommeil :

— Et vous vous êtes aperçu que nous nous moquions de vous... Ne pensez pas que je ne puisse être sincère... Et, la preuve en est, que je viens vous faire cet aveu si pénible et si humiliant... Je vous le déclare sans ambages : nous sommes des voleurs, mon oncle et moi, celui-ci ayant découvert chez un bouquiniste du vieux Bayonne, et s'étant approprié un document qu'il aurait dû remettre à la famille Passerose ; et moi, en lui prêtant mon concours, afin de nous emparer seuls d'un trésor dont ce parchemin fait mention... Ce trésor...

Eliézer poursuivit son discours, et j'en reconnaissais chaque mot comme déjà l'ayant entendu au cours de sa crise nocturne :

— Il fallait, disait-il, vous gagner, afin d'obtenir la clef des grottes et le droit de pénétrer librement dans le flanc de la colline.

Quand ce singulier pénitent, fort bien éveillé, en eut terminé avec sa confession renouvelée, il y ajouta, si je peux dire, un inédit qui me stupéfia par sa conclusion inattendue.

— Nul doute, fit-il, monsieur, que notre obscure machination ne vous ait été révélée par une voie que j'ignore, et que vous l'ayez prévenue et déjouée avec beaucoup d'esprit.

J'eus un sourire d'approbation flattée.

— Vous avez, continua-t-il, commencé de nous brimer en nous mettant, mon oncle et moi, en contact avec le réalisme un peu brutal de vos *Etats-généraux* de Garris, dont j'avais compris l'allusion. Et vous avez ensuite substitué au trésor que vous avez mis en sûreté la plus jolie fille du monde.

Je souris encore.

— Il n'est pas de beauté, fit Eliézer, qui puisse être, même de loin, comparée à la sienne ; ni d'Ithargia ; ni des vierges de l'*Amodioa* dont les voiles étaient gonflées par la brise qui sortait des joues rebondies de l'Amour. Mon inspiration poétique, si géniale soit-elle, demeure, monsieur, tellement au-dessous du modèle que m'offre, après coup, la vérité vivante, que j'en demeure confus. Je ne saurais me payer de mots. Comment ma pâle invention lyrique a-t-elle pu susciter, en chair et en os, la vraie Robinsonne basque, le moule parfait, capable, selon le vœu d'Ondicola, de refaire une race. Or...

— Or?

— Je veux reconstituer la mienne.

— Quoi? dis-je, vous voulez épouser Eva?

(Je lui jetai ainsi le prénom de ma cousine, tant cet épilogue me jetait dans le désarroi.)

— Oui, monsieur, je veux m'unir à elle, en lui offrant, avec une dotation de huit cent mille francs de rente, ma sincère conversion religieuse.

— Ah! bah?

— Une pareille beauté, dont la grâce ne m'a point permis de supposer un seul instant qu'elle n'appartînt à une vierge, ne saurait être dans l'erreur.

— Peste! fis-je, me demandant quelle valeur un théologien accorderait à cette manière d'envisager la foi catholique!... Mais... Ne m'a-t-on pas assuré que vous êtes parfois sujet à des crises somnambuliques?

— Croyez, monsieur, qu'avec Eva, puisque ainsi elle s'appelle, je ne saurais vivre que dans un rêve enchanté, ou rêver dans la plus suave des veilles : ce qui est le lot des plus fortunés.

Eliézer se retira sur ces paroles exquises, après m'avoir chargé de demander pour lui à ma tante la main de ma cousine, que je comptais bien qu'après une entrevue prochaine il n'obtiendrait pas.

— Je ne trouve pas Eliézer mal du tout, me dit Eva après cette entrevue qui se passa chez moi. Il m'a très franchement marqué son repentir d'avoir trempé dans les roueries de son oncle, et il m'a déclaré n'en vouloir retenir que l'amusant poème auquel elles ont donné lieu, et où l'on se moque de toi délicieusement. Il m'en a lu quelques passages, mais sais-tu qu'ils sont fort beaux?

— Oui.

— J'apprécie tes vers ; mais laisse-moi t'avouer que rien, dans ton œuvre, ne m'a ému autant que cette légende basque. Et, puisque son auteur m'a choisie pour être, en chair et en os, et d'esprit, la Robinsonne qui l'inspire, apprends que je me sens apte tout à fait à lui susciter une race de choix.

— Celle même d'un somnambule? demandai-je piqué.

— Rien, me répondit-elle, n'est plus charmant que l'Amour endormi.

Bref, il me fallut rengainer ma mauvaise humeur et mon dépit. La pauvre chose qu'un cœur d'homme!

Voici quelques jours à peine, je désirais d'autant plus le bonheur et la prospérité de cette enfant que je craignais qu'elle ne fût condamnée au célibat des jeunes filles sans dot.

Quant à l'affection de camarade que je lui portais, et qu'elle me rendait, je m'en suis expliqué : elle était de telle sorte qu'elle semblait ne pouvoir engendrer cette jalousie où la beauté physique entre comme élément.

Et, néanmoins, je rongeais mon frein, tout capot qu'Eliézer eût, ne fût-ce que par sa fortune, fait la conquête d'Eva.

La mère de celle-ci, trop satisfaite d'échapper à ses créanciers, ne fit aucune opposition, bien au contraire ; et il me fallut, bon gré, mal gré, par convenance, chaperonner Eta et Eliézer à travers la lune de miel de leurs fiançailles, me prêter à leurs fantaisies, et, ce qui me fut le plus humiliant, les surveiller.

Je ne pus même me refuser à les ramener à Isturitz où ma cousine eut un accès d'hilarité en revoyant la fosse qui lui avait servi de sépulcre et qu'elle nomma Cette foi : « Le berceau de la race. »

J'enrageais. Quant au futur époux, il était tout transformé. Il me demanda, pour lui éclaircir quelques points d'une théologie qu'il avait déjà pas mal étudiée, un guide averti, et je ne sus mieux faire que de le confier au missionnaire qu'il avait rencontré au cours du repas des *Etats-généraux* basques : le père Bidondoa Ihidoïpé.

Celui-ci trouva fort édifiant son catéchumène qui lui fit cadeau d'un microscope, d'une jumelle de spectacle et de l'*Histoire de la Révolution française*, en dix volumes, de M. Thiers, œuvre que le donateur ne voulut point conserver la trouvant désormais entachée d'hérésies.

Au physique, peut-être à cause que le Malin se retirait de lui, Eliézer était devenu presque un joli homme. Grâce à un nommé Perron, poète et coiffeur de Bayonne, qui avait résolu, pour son client, une coupe de cheveux et de barbe dite « jardin à la française », il avait quinze ans de moins.

Ce rajeunissement m'agaçait tout autant que le reste du personnage, mais ce qui porta au comble mon dépit fut d'avoir à réentendre l'étonnant chapitre de la Légende où Roland et Aude, dans les montagnes des Aldudes, viennent saluer Charlemagne.

J'eus beau me répéter que le poème n'avait ni queue ni tête, il fallut bien me rendre à l'évidence du contraire lorsque se penchant vers Eliézer assis sur l'un des bancs de mon petit parc, Eva lui décocha le plus sonore des baisers.

Alors, je devins ridicule. Et, poussé par l'esprit de bassesse que la rivalité fait naître chez ceux-là mêmes qui ne sont pas les pires, j'allai jusqu'à lui déclarer, lorsque, nous fûmes en tête à tête, que je trouvais fâcheux qu'elle consentît à épouser un homme qui, ne fût-ce qu'un moment, s'était fait le complice d'un vol.

Elle me répondit que je n'étais qu'un pharisien ; qu'il est d'autres larcins plus graves que de perles, dont le commun fait assez bon marché, ne serait-ce que de ravir les femmes d'autrui ; et que, d'ailleurs, si j'étais chrétien le moins du monde, il me fallait bien admettre que le passage du judaïsme au christianisme sanctifierait son cher *Zézer*.

Je faillis gifler la superbe fille en l'entendant forger un si amoureux diminutif.

Elle ajouta que, si invraisemblable et si décousue que fût la Légende, elle faisait siennes les idées d'Ondicola sur la réfection d'un peuple, et que, n'ayant jamais rencontré, parmi les jeunes coureurs de plages, un seul Iguskia, elle leur substituerait Eliézer. Ce n'est pas que l'esprit lui manque, ni même le génie, assura-t-elle, en me regardant bien en face. Il n'en a que trop. Quant à ce qui regarde le reste, tu m'as vu faire, à la nage, le tour du grand rocher de Biarritz. Je ne demanderai à mes enfants que de...

— Passer la mer Rouge avec les chameaux de leur père?

Elle me regarda avec un certain mépris attristé :

— On dirait, ma parole, que tu es jaloux!

Jacob Meyer fut ému jusqu'aux larmes, car il était sentimental, en apprenant, de son neveu, la conclusion pratique d'une histoire aussi irréelle.

Il s'excusa de la tentative indélicate ou il l'avait engagé. De son meuble le plus secret il retira, pour les offrir à sa future nièce, de tels joyaux que le trésor de la famille Passerose ne les égalait point.

La persuasion se fit alors en moi que le vieil artiste antiquaire avait moins agi par amour du lucre qu'à cause de la passion innée de l'Israélite pour les pierres.

OÙ LA RACE BASQUE TRIOMPHE DE L'ÉTRANGER

Le mariage eut lieu, béni par le père Bidondoa Ihidoïpé.

Quatorze mois après j'invitai mes cousin et cousine dans la même ferme de Garris où j'avais convié, deux années auparavant, les soi-disant membres des Etats généraux.

Sur le désir que m'en exprima Eliézer, je réinvitai à un large déjeuner les mêmes bons Basques devant lesquels il s'était évanoui. Il avait si bonne mine que je doute qu'ils le reconnurent. Il ne décela aucune faiblesse, se montra gaillard dans la conversation, mangea comme quatre des mets les plus lourds, et dégusta, en regardant sa femme qui l'y poussait, bon nombre d'écrevisses que j'avais fait servir par malignité. Il but des vins les plus forts. A peine si Paul Dupont put tenir devant lui. On eût dit qu'Eva lui avait infusé la vieille sève des Robinsons basques.

Et ce fut une ovation lorsque, au dessert, on nous présenta un enfant qui semblait être le fils de Gargantua et de Gargamelle.

— Regarde-le, me cria Eva qui était allée lui donner à téter, et qui revenait vêtue de la tunique nuptiale qui la rendait plus séduisante encore, mais regarde-le donc! C'est le fils d'Iguskia et d'Ithargia! Et viens, après cela, prétendre que la légende basque n'est point vraie!

Eliézer, qui s'appelait maintenant Philippe, sourit dans sa barbe.

Milton Keynes UK
Ingram Content Group UK Ltd.
UKHW011229280324
440101UK00007B/693